“阅读之道”系列教材

边城

深度阅读 学生用书

Border Town

In-depth Reading

Student's Book

洪春满 吴静 宫小琳 编著

By Chunman Gissing, Jing Wu & Xiaolin Gong

北京语言大学出版社
BEIJING LANGUAGE AND CULTURE UNIVERSITY PRESS

PHOENIX TREE
PHOENIX TREE PUBLISHING INC.

前言 Preface

各位读者，你们是否曾经浏览图书馆和书店的书架，或互联网上的文学书目，看着一个个熟悉或不熟悉的作者，把一本本图书借出来、买下来、带回家，或下载，或存档，但始终不曾看完自己的“藏书”？或者，你是否有过这样的困惑——为什么这本书我明明看过，可是说不上来书里到底写了些什么，作者借着这些人物和内容到底想表达什么？你是否曾面对文学课老师开列的书单，产生望而却步不敢开卷的心理？但内心是否又希望自己能博览群书，向往可以与他人就某本文学名著侃侃而谈？

某部文学作品之所以成为名著，是因为作者的精心构思和精彩写作吸引着读者，使读者在阅读过程中有感同身受的喜悦和深刻的经验；同时也因为经年累月不同读者给予各部作品的不同诠释，丰富了文学作品对一代代读者的意义，巩固了一部作品作为“名著”的地位。你们也许觉得文学博奥精深，难读难解；作为学生，你还需要考虑选修文学课是否能得高分。那么，阅读文学作品能从中获得乐趣吗？选修文学课能得到高分吗？对于这些问题，我们的答案是肯定的！

美国缅因州的国家培训实验所根据前人的研究总结出了“学习金字塔”（The Learning Pyramid）[①]（见下图）这一概念，指出在学习的过程中，通过听演讲所吸收保存的知识仅为5%；而通过听演讲加上自己的阅读，则可有10%的收获；如有视听功能的学习，则可保持20%的记忆；经过示范的学习，可帮助学习者得到30%的效果；如果学习过程包括集体讨论，则能达到50%的效益；把所学实际应用到生活中，则可达到75%的效益；如果学习者把所学拿来教别人，那就可以达到90%的学习效益！

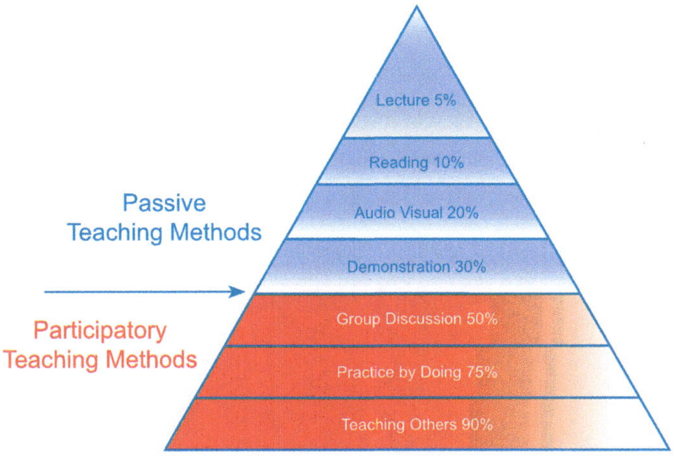

学习金字塔（The Learning Pyramid）

① 见 http://thepeakperformancecenter.com/educational-learning/learning/principles-of-learning/learning-pyramid/.

本套丛书之所以称为"阅读之道"，其原因就在于更重视分享阅读的方法。阅读有道，掌握好了阅读之道，则读书乐在其中，你就更能领略作品的美和意义，考试得高分也就不在话下了。除此之外，你还可以因阅读而受益，从而丰富自己的人生。本丛书选择了一些历经时间考验的、有代表性的中文名著供师生研读使用。我们既有"教师用书"，又有"学生用书"。两个版本都遵循"学习金字塔"的原则，结合三位作者多年教授和评估 IB 国际文凭文学课程的经验，通过精心设计的阅读活动，把多元的深度阅读方法分享给喜爱阅读的师生读者，比如教师的演讲、学生的视听，个人思考、分组或集体讨论，差异教学等种种活动。每一部作品的"阅读之道"皆提供多种不同的技能培训，老师和学生以及其他读者可以针对各部作品的重点技能培训选择相对应的活动来进行教学或自学。老师们使用本套教材提供的教学建议，可以避免填鸭式的教学方式；学生和一般读者使用本套教材来欣赏文学作品，则可享受主动学习的乐趣。阅读过程可以是一个内化所学和丰富经验的过程，希望大家能教学相长，快乐阅读！

目 录 Contents

1 第一单元：走入《边城》①

1.1 阅读前活动

1.1.1 预测

课前预习 思考下面两个问题，把自己的想法写在横线上。

A. 根据书名推测故事的大概内容

---

① 本书所用《边城》文本依据商务印书馆2016年7月版《边城：沈从文作品精选集》。

B. 读前讨论创作

a. 猜一猜，“边城”这个故事发生在中国的什么地方？虚构一个发生在那里的故事。

b. 说说你对哪个城市或地点印象深刻。如果让你写一部关于这个地方的小说，你会写哪些情节？

1.1.2 词汇云

读《边城》一、二、三章

1. 不看作品原文，直接根据下面三个“词汇云”判断它们各是根据哪一章制作出来的，在各“词汇云”的右上角标出“一、二、三”。
2. 以各“词汇云”上显示的文字为提示，写出至少三个关于本章的重要信息或事件。
3. 阅读完各章节后再回头检查各“词汇云”下的练习，列出本章的三个重点细节，并概括各章大意。比较一下，跟原来只凭词汇云所做的预测相比，有多少相吻合的，又增加了哪些情节。

根据此“词汇云”，猜测本章的三个细节：

阅读本章之后提取出的三个重点细节：

本章大意：

根据此“词汇云”，猜测本章的三个细节：

阅读本章之后提取出的三个重点细节：

本章大意：

根据此“词汇云”，猜测本章的三个细节：

阅读本章之后提取出的三个重点细节：

本章大意：

1.2 阅读中活动

欣赏文学作品，首先要熟悉和理解作品内容，才能进入对于内容信息（包括主题、情节、寓意等）的掌握和分析，探讨作者应用了哪些写作手法，以及是如何运用这些手法勾画故事情节、传递作品信息的。以下导读问题的设计目的是为读者提供一个熟悉理解内容的工具和方向。你可以用这些导读问题来帮助自己掌握阅读时需要持续关注的重点。《边城》一书共有21章，下面的导读问题以章为单位，从作品细节入手，根据作品中的时间、地点、人物、事件等提问，希望可以帮助你查漏补缺，用这些问题来检验自己对《边城》一书的理解程度。

这里提供的导读问题非常关注细节。同学们可以根据自己的情况，或回答所有问题，或抽选问题作答，以检验自己对故事的理解程度。你会注意到，留给每题写答案的空间不是很大，这是因为在理解内容大意的阶段，读者**不需要也不应该**把导读问题的答案完整写出来，只需记下重点提示即可。对于自己掌握得很好的问题，甚至无须写下重点提示，这也能很好地训练你利用重点架构信息的技能。在初次阅读、理解作品大意的同时，你也可以为第三单元作品赏析部分的“3.3 文学特色”一章的练习做准备，如用荧光笔标出有助于自己进一步欣赏作品的语句或体现作者写作手法特点的语句等。

第一章

1. 第一段的大意是什么？

答

2. 给出本章提到的关于茶峒的细节，至少写两个。

答

3. 本章提到了哪些人？

答

4. 过渡人和老船夫“为了心安起见”，各自做了什么事情？

答

5. 老人渡了五十年的船，为什么还没有退休？

答

6. 翠翠对于老人具有什么样的重要意义？

答

7. 翠翠是一个什么样的女孩？她的身世如何？

答

8. 翠翠是如何帮助爷爷管理渡船的？

答

9. 不拉渡船时，翠翠和老船夫都做些什么事？

答

10. 渡船和城里的哪些事情会吸引翠翠的注意力？

答

第一章大意

第二章

1. 茶峒这个地方的建筑有什么特点？为什么会有这样的特点？

答

2. 每年水涨水退的时候，这里的人们都是怎么应对的？

答

3. 这个小城中都住了哪些不同的人？他们过的是什么样的日子？

答

4. 作者是怎么描写这里的水手与妓女的感情的？

答

5. 在这里掌管码头的人是谁？这个人有什么样的特点？

答

6. 顺顺如何教育自己的孩子？为什么？

答

7. 他的两个儿子叫什么名字？两个孩子各有什么特点？

答

8. 茶峒的人们是怎么看待顺顺这一家人的？

答

第二章大意

第三章

1. 本章第一、二两段中，作者还如何称呼茶峒这个地方？

答

2. 为什么当中国其他地方极不安定时，这里还能如此有秩序？

答

3. 这里一年中最热闹的日子有哪些？

答

4. 这里的人们如何庆祝端午节？一般持续多久？

答

5. 划船比赛时，每条船上都有哪些人？

答

6. 参加划船比赛的人如何互相配合？

答

7. 人们用什么方式庆祝划船比赛的胜利？

答

8. 为什么戍军长官要把鸭子赶到河中？

答

9. 这一年端午，顺顺家有谁参加了龙船比赛和捉鸭子活动？为什么？

答

10. 翠翠如何看待端午节的庆祝活动？

答

第三章大意

第四章

1. 那年端午，翠翠是抱着什么样的心情和祖父、黄狗一起进城去看划船的？

答

2. 为什么那天祖父可以不掌船，而有时间陪翠翠去看划船？

答

3. 翠翠看龙船时，祖父消失了一阵子，他到哪儿去了？为什么去那儿？

答

4. 掌船的替手有没有去看热闹？祖父有没有再回去接翠翠回家？为什么？

答

5. 翠翠等祖父来接她的时候，听见了什么事？让她想起什么来了？

答

6. 这时船上来了什么人？这人有什么本领？这时他认识翠翠吗？翠翠认识他吗？

答

7. 翠翠遇到二老后，二老劝翠翠到他家去等爷爷，翠翠不去，这时他说了什么？

答

8. 黄狗对着二老叫，翠翠觉得这人是个轻薄男子，不值得叫，便说：“狗，狗，你叫人也看人叫！”二老是如何理解翠翠这句话的？

答

9. 后来是谁来送翠翠回家的？翠翠为什么信任他并跟着他回家？

答

10. 翠翠得知伙计其实是二老派来送她回家的以后，二老在她心里的形象有所变化。文本里有哪几点反映了这个转变？

答

第四章大意

第五章

1. 中秋节的晚上，天上如果有明月，边城这地方会有什么传统？

答

2. 每年春节和元宵节放鞭炮烟火的热闹，对翠翠来说，“总不如那个端午所经过的事情甜而美”。翠翠所指的“那个端午所经过的事情”是哪件事？

答

3. 翠翠与二老相遇后的次年端午，翠翠有没有再看见二老？这一年端午，她见到了顺顺家的什么人？

答

4. 顺顺送给翠翠和她祖父什么东西？

答

5. 水上名人顺顺称赞翠翠长得很美，问她多大了，又问她“有不有人家”，他想知道关于翠翠的什么信息？结果如何？

答

6. 回家的路上，祖父对翠翠称赞顺顺一家人，提大老的好，又问翠翠，如果大老请人来提亲，翠翠是否答应。翠翠有什么反应？

答

7. 翠翠乱晃火炬，爷爷说，这样走路他会摔到河里去，鸭子会逃掉，翠翠说了什么？你认为她为什么会这么说？

答

8. 祖父明白翠翠为什么事不高兴吗？从哪里可以看出来？

答

9. 翠翠上岸回家后，祖父为什么还守在船边？

答

第五章大意

第六章

1. 本章开始时发生的一件事使翠翠以为祖父同人打架。描述一下这件事，并说说作者写这件事的用意。

答

2. 祖父把所有的铜钱都还给搭船的商人了吗？你如何看这件事？

答

3. 听到端午节蓬蓬的鼓声，祖父提到前年端午节“我还以为大鱼会吃掉你”。回忆一下，前年端午节发生的什么事让祖父说出了这句话？

答

4. 祖父告诉翠翠，宋家堡子里新嫁娘只十五岁，翠翠明白祖父这句话的意思吗？你觉得这句话是什么意思？

答

第六章大意

第七章

1. 又是端午时节，祖父感觉翠翠长大了。本章中作者用哪些事情来显示翠翠长大了？

答

2. 翠翠母亲是个什么样的人？她有什么经历？

答

3. 老船夫觉得自己女儿的死应该怪谁？他能坦然接受吗？

答

4. 老船夫觉得自己老了，“无论如何，得让翠翠有个着落”。这句话是什么意思？

答

5. 老船夫听了大老说的话，为什么又愁又喜？

答

第七章大意

第八章

1. 初五清早，祖父上城去办货，翠翠和黄狗代替祖父拉渡船。黄狗做了什么事引起了过渡人的兴味？

答

2. 翠翠代替祖父掌船，对于祖父在城里会发生什么事却“心中一本册”，她知道什么？请举出几个例子。

答

3. 这一天，翠翠心里想了些什么事？

答

4. 翠翠拉船时，除了与过渡人说话以外，还做了什么事？

答

第八章大意

第九章

1. 翠翠见祖父回来很高兴。从什么细节可以看出她对祖父很细心、很周到？

答

2. 祖父回来时为什么没了酒葫芦？

答

3. 送酒葫芦回来的是什么人？翠翠知道他是谁吗？此人如何称赞翠翠？

答

4. 二老和老船夫对谈时都说了些什么？

答

5. 二老离开前对翠翠说了什么话？

答

6. 翠翠是怎么知道来送酒葫芦并邀他们去看船的人是二老的？

答

7. 老船夫喝着二老送来的酒，有什么反应？

答

第九章大意

第十章

1. 翠翠被请去顺顺家时见到了谁？祖父也留在顺顺家看船了吗？

答

2. 撑渡船的如果想要有座碾坊，可能吗？为什么？

答

3. 这座碾坊是谁的？传言说它将用来做什么？

答

4. 老船夫对杨马兵应大老之托所提的事有什么反应？

答

5. 老船夫觉得，翠翠的婚事他可以做主吗？他怎么给杨马兵回的话？

答

6. 老船夫和杨马兵看碾坊谈话时翠翠经历了什么事？

答

7. 翠翠找黄狗时撞上了什么人？她有没有回顺顺家？

答

8. 翠翠离开二老以后，心情如何？

答

9. 翠翠找到祖父以后，两人说了些什么？

答

10. 在本章的最后，祖父和翠翠去了哪里？

答

第十章大意

第十一章

1. 船总顺顺请媒人杨马兵带着礼物正式到老船夫家提亲时，老船夫答应把翠翠许给大老了吗？

答

2. 老船夫对于大老想要翠翠为妻持什么态度？

答

3. 爷爷告诉翠翠，船总顺顺家请人来做媒，要讨翠翠当媳妇。翠翠听后有什么反应？

答

4. 见翠翠没回答，老船夫又说了什么？

答

5. 听了祖父的话，翠翠为什么只是想哭？她心中为什么乱乱的，想“赶去却不赶去”？

答

第十一章大意

第十二章

1. 天气渐渐热了，老船夫和翠翠为过渡人做了些什么事？

答

2. 媒人又来探翠翠的口气，但没有得到答案。老船夫知道原因吗？他担心什么？

答

3. 大老二老都爱上了翠翠，这是希罕的事吗？

答

4. 大老对二老说出自己两年前就爱上了翠翠的心事，二老怎么反应？

答

5. 大老选择走车路，没得到结果。自己又觉得走马路不是他可以胜任的，他有什么打算？

答

6. 大老走车路没结果，但又觉得自己没条件为翠翠唱歌。二老知道后，为了“公平”，想出了什么法子？

答

7. 大老同意二老代唱的提议吗？

答

第十二章大意

第十三章

1. 十四那天过渡人特别多，翠翠心中升起“薄薄的凄凉”。她自己胡思乱想了些什么？

答

2. 翠翠喊祖父，祖父有没有立即回家？为什么？

答

3. 祖父终于回家时发现了什么？他对翠翠说了什么？

答

4. 那天吃晚饭时和吃完晚饭后，祖父和翠翠做了什么事？

答

第十三章大意

第十四章

1. 翠翠睡着后，在梦中听见了什么？老船夫又听到了什么？

答

2. 第二天老船夫为了什么事去找大老？

答

3. 昨晚唱歌的是大老吗？为什么？

答

4. 老船夫不明白事情真相，说大老唱得很好，翠翠在梦里听着歌，被歌声带得很远很远。大老听后说了什么？

答

5. 老船夫从水手口中得知大老将押船下行，便告诉他走马路有希望得到翠翠。大老做何反应？

答

6. 老船夫回到家后，告诉翠翠真相了吗？

答

第十四章大意

第十五章

1. 大老离开了，老船夫觉得谁会来为翠翠唱歌？他想知道什么事？

答

2. 翠翠说若有人为她唱歌，他唱多久她就听多久。爷爷和翠翠对这事各持什么看法？

答

3. 爷爷问翠翠，如果二老为她唱歌，向她求婚，她将怎么说。翠翠有什么反应？

答

4. 回到家里，翠翠请祖父吹芦管。然后他们谈了什么事？

答

5. 爷爷在想着大老二老的事时，翠翠请他唱歌，他唱了什么歌？翠翠说了什么？

答

第十五章大意

第十六章

1. 没再听到二老唱歌，老船夫打算去找二老问个究竟，却听到了什么消息？

答

2. 船总顺顺看到老船夫，对他说了什么？

答

3. 知道老船夫心中不安，船总顺顺说了什么？

答

4. 老船夫和杨马兵说话时，二老出现了。后来发生了什么事？

答

5. 听到大老被淹的遭遇，翠翠有何反应？

答

6. 那天祖父为什么神气极其不对?

答

第十六章大意

第十七章

1. 二老回到茶峒又遇见老船夫，老船夫说起翠翠五月里做的梦，两人又谈了些什么?

答

2. 二老想要碾坊的女儿还是要翠翠? 他有什么顾虑吗?

答

3. 老船夫叫翠翠时，她不在家。她去哪儿了? 做了什么事?

答

4. 老船夫告诉翠翠，他和一个过渡人谈起翠翠，这人翠翠认识。翠翠知道老船夫说的是谁吗? 为什么?

答

第十七章大意

第十八章

1. 时间过去了，天气热起来了。说一说翠翠现在的生活。

答

2. 翠翠能像诗人、画家或雕刻家一样把心头上的爱憎描绘出来吗？她是如何处理的？

答

3. 祖父明白了翠翠的心事，觉得需要好好为翠翠做安排，可是，他和船总顺顺以及二老之间的关系发生了什么变化？

答

4. 这段时间，爷爷和翠翠的谈话最终都谈到什么事情上去了？

答

5. 二老和家中的长年从川东押物回来要搭渡船，翠翠看见是他们就跑掉了。他们一直喊要过渡，结果如何？

答

第十八章大意

第十九章

1. 二老确定老船夫和翠翠都喜欢他吗？为什么？

答

2. 中寨人又来探问二老是不是有意接受新碾坊，二老怎么对他爸爸说的？

答

3. 去探口风的中寨人告诉老船夫，顺顺和二老是什么意思？

答

4. 老船夫听了中寨人的话，心里很不高兴，后来病了，躺了三天。翠翠是怎么照顾祖父的？

答

5. 那天午后，老船夫还是进城了。他去找谁？谈了什么事？

答

6. 对于老船夫的问题，顺顺怎么回答？

答

7. 顺顺对于二老和翠翠的事持什么态度？

答

8. 顺顺的话和对老船夫的态度让老船夫心中很不高兴。回家后，老船夫对翠翠说了什么？

答

9. 翠翠说她真怕，可是她“怕的似乎并不是晚上要来的雷雨”。你觉得她怕的是什么？

答

第十九章大意

第二十章

1. 那天夜里雷雨交加，翠翠害怕，祖父安慰她不要怕，翠翠怎么说？

答

2. 虽然那夜雷雨交加，“但无论如何大雨，过不久，翠翠却仍然就睡着了”。上一章结尾的哪句话反映了这个现象？

答

3. 翠翠醒来后，发现了什么变故？

答

4. 要过渡的人知道老船夫死了，做了什么事？

答

5. 茶峒的人知道老船夫死了，都做了哪些事？

答

6. 老船夫死后，顺顺和杨马兵相继对翠翠做出了什么承诺？

答

7. 老道士在为老船夫做绕棺仪式时，带着什么人绕棺？

答

8. 茶峒人办丧事包括哪些仪式？

答

9. 看到翠翠痛哭，杨马兵有什么顾虑？他做了什么事？

答

10. 翠翠在屋外因为什么受了惊？

答

第二十章大意

第二十一章

1. 老船夫出葬时，有哪些人跟在棺材后面走？

答

2. 老船夫入葬以后，还有哪些人留在碧溪岨的家中？后来呢？

答

3. 老船夫死了，谁来拉渡船？杨马兵做了什么事？

答

4. 顺顺要接翠翠去他家住，翠翠有什么考量？

答

5. 杨马兵和翠翠有什么因缘？

答

6. 翠翠从杨马兵口中得知了哪些祖父在世时没对她提的事？

答

7. 过了四七，顺顺派人请杨马兵进城，商量把翠翠迎到船总家，作为二老的媳妇。杨马兵是如何给翠翠建议的？

答

8. 碧溪岨的白塔与茶峒的风水有关，白塔坍塌了，重建工作由谁来参与？为什么？

答

9. 白塔建成了，二老回来了吗？什么时候回来（的）？

答

第二十一章大意

1.3 阅读后活动

1.3.1 判断对错

这里的判断对错与传统的是非题有所不同：要求你在做了对或错的选择之后，同时提供做此选择的理由，即给出作品中支持对错判断的细节。其目的是帮助你对文本的细节有更具体的掌握。

请根据文本内容来判断下面句子的对与错，并引用文本说明原因。

·1—3章·

1. 茶峒是位于川湘交界处的一个小山城。 (　　)

原因

2. 老船夫收到公家的钱和粮，就买来上等烟草慷慨地赠送给搭乘渡船的人。 (　　)

原因

3. 茶峒这个地方的人家常常住在一半着陆、一半在水的房子里，俗称“吊脚楼”。 (　　)

原因

4. 顺顺是在茶峒掌管码头的，他不仅喜欢交友，也很愿意在经济方面救济别人，因此发了大财。 (　　)

原因

5. 在中国各地都处在极大变动的时候，边城还保持着平静与安定。 (　　)

原因

6. 每年端午节，边城都会举行划船比赛，为了增加节日气氛，还有老百姓把鸭子赶下水，任捉住的人成为鸭子的主人。 (　　)

原因

4—6章

1. 翠翠和二老第一次见面是在顺顺家里。 (　　)

原因

2. 翠翠和二老初次见面那年的端午，翠翠知道陪她回家的人是二老派来的。 (　　)

原因

3. 翠翠和二老第一次见面之后那年的端午，二老没有参加赛船活动。 (　　)

原因

4. 翠翠和爷爷很亲近，他们总是知道彼此心里想着什么事情。 (　　)

原因

5. 过渡人给老船夫钱，他总是拒收，推让之间，老船夫偶尔也会很“公平”地留下一枚铜钱。 (　　)

原因

6. 翠翠完全不记得两年前的端午节二老笑说她会被大鱼吃掉的事。 (　　)

原因

·7—9章·

1. 老船夫觉得自己女儿的死不是什么人的罪过，所以他不怨天尤人。 (　　)

原因

2. 大老觉得翠翠长得很标致，是一个很好的当妻子的对象。 (　　)

原因

3. 祖父到城里去办节货，翠翠完全知道祖父进城去会发生什么事。 (　　)

原因

4. 祖父进城是为了办节货，所以他没有去顺顺家。 (　　)

原因

5. 二老为老船夫送酒葫芦回来，祖父要翠翠陪陪客人，翠翠并没有听祖父的话。 (　　)

原因

6. 为了让翠翠和老船夫可以去看划船，二老说他要安排一个人来替他们守渡船。 (　　)

原因

·10—12章·

1. 翠翠和中寨乡绅的女儿一起在顺顺家看划船。 (　　)

原因

2. 二老在河边看到翠翠，告诉她他已经为翠翠安排了好位子看划船，翠翠于是跟二老一起去他们家。（　　）

原因

3. 顺顺请媒人为儿子二老向老船夫求亲。（　　）

原因

4. 祖父告诉翠翠，她的婚事得由祖父做主。（　　）

原因

5. 翠翠迟迟不给做媒的人答案，祖父突然发现翠翠不爱大老，爱的是二老。（　　）

原因

6. 大老和二老发现彼此都爱上了翠翠，两人决定轮流为翠翠唱歌，看谁得到回答。（　　）

原因

·13—15章·

1. 翠翠的父亲是唱歌能手，母亲也爱唱歌，他们彼此不认识时就曾对唱。（　　）

原因

2. 翠翠睡着了，在睡梦中她仿佛跟着美妙歌声浮起来了，各处飘着。老船夫以为那是大老在对溪高崖上为翠翠唱歌。（　　）

原因

3. 大老又走车路，又走马路。（　　）

原因

4. 知道自己唱歌不是弟弟的对手，大老决定押船离去。（　　）

原因

5. 二老决定为翠翠唱三年六个月的歌，翠翠每天夜里都听得到歌声。（　　）

原因

6. 翠翠告诉爷爷自己喜欢的是二老，愿意和他成婚。（　　）

原因

·16—18章·

1. 大老押船下行，出了意外被水淹死了。（　　）

原因

2. 二老觉得大老的死跟老船夫有关。（　　）

原因

3. 二老向老船夫承认，他是那晚为翠翠唱歌的人。（　　）

原因

4. 二老怪老船夫不直爽地处理翠翠的事，导致了大老的死。（ ）

原因

5. 看见二老从川东押物回到茶峒，翠翠很高兴地去为他拉渡船。（ ）

原因

6. 二老等了很久，老船夫终于来拉渡船，二老很感激。（ ）

原因

19—21章

1. 二老决定要碾坊，不要渡船。（ ）

原因

2. 顺顺坚决反对二老和翠翠结合。（ ）

原因

3. 顺顺和二老怪老船夫与大老的死有关，所以老船夫死后，顺顺没去帮忙办后事。（ ）

原因

4. 杨马兵也向翠翠保证他会好好照顾她。（ ）

原因

5. 除了翠翠的父亲，杨马兵也为翠翠的母亲唱过歌。 (　　)

原因

6. 白塔修好了，二老明天就回来。 (　　)

原因

1.3.2 排序练习

你对故事中事件发生的先后次序掌握得如何？这个练习将《边城》的21章分成两部分，第1到11章为第一部分，第12到21章为第二部分。请在下面的表格中用数字标出书中事件发生的先后次序（1是最早发生的），并写出所在章节。

1—11章

正确顺序	原标码	主要事件	所在章节
	A	翠翠对黄狗说："狗，狗，你叫人也看人叫！"	
	B	二老派的伙计拿着火炬来陪翠翠回家。	
	C	翠翠和二老首次在端午节见面。	
	D	翠翠和大老首次在端午节见面。	
	E	二老对翠翠说："回头大鱼来咬了你。"	
	F	老船夫愁喜参半，思考大老是不是适合照顾翠翠，翠翠又愿不愿意把自己交给大老的问题。	
1	G	大老天保上行送节货，顺顺家只有二老参加端午节的赛船活动。	三

（续表）

正确顺序	原标码	主要事件	所在章节
	H	翠翠和中寨人家的女儿都在顺顺家窗口看热闹。	
	I	大老对老船夫称赞翠翠长得标致，说以后要每夜到溪边来为翠翠唱歌。	
	J	二老到下游六百里外的青浪滩去了，在那里过端午节。	
	K	二老为老船夫送酒葫芦回来，称赞翠翠“像个大人了，长得很好看”。	
	L	翠翠听到有人说乡绅想同顺顺成为亲家，又听见人家说二老喜欢一个撑渡船的。	
	M	顺顺把大老捉到的鸭子和尖角粽子送给老船夫。	
	N	二老说他安排一个人来守船，让老船夫和翠翠去看划船。	
	O	老船夫传话给大老说：“车是车路，马是马路。”	
	P	老船夫和一位熟人去新碾坊看水碾子。	
	Q	爷爷进城去办节货，财主人家的妻子和十三岁的女儿坐翠翠拉的渡船。	
	R	杨马兵受顺顺之托，带着礼物到老船夫家为大老向老船夫提亲要娶翠翠。	

12 — 21 章

正确顺序	原标码	主要事件	所在章节
1	A	大老和二老发现彼此都喜欢翠翠。	十二
	B	茶峒人发现大老离开茶峒，押船下行，掉到水里淹死了。	
	C	二老告知老船夫，那晚是他在那边岩上唱了一晚的歌。	
	D	二老告诉父亲，自己命里只许他撑个渡船。	
	E	老船夫告诉翠翠，为她唱歌的是二老。	

（续表）

正确顺序	原标码	主要事件	所在章节
	F	中寨有人到顺顺家探口风，想知道二老是不是还有意接受新碾坊。	
	G	老船夫告诉翠翠："今晚要落大雨响大雷。""一切要来的都得来，不必怕！"	
	H	二老在明月夜为翠翠唱歌。	
	I	二老从川东押物回到茶峒，要渡船，等了很久老船夫才出现，二老不高兴。	
	J	杨马兵安慰翠翠，告诉她："你放心，一切有我！"	
	K	中寨人告诉老船夫，顺顺和二老都愿意跟碾坊乡绅结成亲家。	
	L	大老告诉老船夫，为翠翠唱歌的人是二老。	
	M	碧溪岨的白塔重新修好了。	
	N	老船夫去找顺顺，想问清楚顺顺父子是否真的要和碾坊乡绅结成亲家。	
	O	顺顺后来决定把翠翠接到他家里住，作为二老的媳妇。	
	P	翠翠发现爷爷死了。	
	Q	杨马兵陪翠翠为老船夫绕棺。	
	R	翠翠觉得自己失去了祖父，却得了个伯父。	

1.3.3 搭配练习

搭配练习用来帮助你检查自己能否在众多细节中理清人物、事件的相互关系。请在左栏各人物旁边的线上填入右栏的数字，即在右栏中选择与左栏人物相关的信息。（注意：有的信息不止填一次。）

22、23	翠翠
	老船夫
	二老
	大老
	翠翠的父亲
	翠翠的母亲
	船总一家
	顺顺
	中寨人家
	杨马兵

1 天保

2 岳云

3 傩送

4 曾经心仪翠翠的母亲，并向她唱歌求爱

5 掌水码头的龙头大哥

6 想把新碾坊当作女儿嫁给二老的陪嫁

7 使翠翠觉得自己得到了一位新伯父

8 要把翠翠接回家住，当二老的媳妇

9 掉到滩下漩水里淹死了

10 爱上了翠翠，想娶她为妻

11 喝了许多冷溪水而死去

12 是翠翠的爷爷

13 在一个雷雨交加的夜晚死去

14 为翠翠在一个明月夜唱过歌

15 请媒人去老船夫家提亲

16 下桃源去了，不知道什么时候回来

17 笑翠翠会被大鱼吃掉

18 安排人陪翠翠回家

19 安排人替翠翠和老船夫守船，让他们去看端午节的热闹

20 歌喉很好

21 歌喉不好

22 多次摘“虎耳草”

23 告诉黄狗“叫也得看人叫”

24 为过渡人准备烟草

25 走了“车路”

26 走了“马路”

27 陪翠翠给老船夫绕棺

1.3.4 绘图练习

图画绘制

从作品1—3章中选取一个令你印象深刻的场景，画出来并做解释。

在左栏中画出你读到的内容（绘画形式不限），需包括重要的人物、地点或事件，也可以画出重要的场景；在右栏中用简单的文字解释你的图画与文本的关系。注意：并不要求画出完美的艺术品，重要的是你能用图画的形式展示作品的细节，并口述出来。这个活动对于了解作品和概括大意是非常有效的 。

图片	文字

口头练习

2—3人一组，完成下面的问答活动，每个人的分享时间为5分钟左右。完成一项后请在方框中打“√”。

向绘图者提问：

- □ 1. 这幅画中画的是谁/什么？
- □ 2. 这幅画讲了什么？
- □ 3. 这幅画说的是哪一段文字？

绘图者解释：

- □ 1. 我画的内容是什么？
- □ 2. 在这幅画中，我最想突出的细节是什么？
- □ 3. 我想通过这幅画达到什么目的？

课后反思

这个活动中有哪些需要回想和思考的地方？请写下来。

1.3.5 关联练习

试着将《边城》与其他课程或现实世界进行关联，看看作品中有哪些元素与你现实生活中的逸闻逸事、新闻事件、政治事件、流行趋势等相关联，也可以罗列你曾经读过的书，古今中外均可。除了下面给出的《江城》片段外，再找出两个有关联的作品，并标出它们与《边城》的相似点。（注意：尽量找你了解的，同时也是你的同学可以理解的关联作品。）

例

《江城》

[美] 彼得 · 海斯勒
（Peter Hessler）

“在1996年至1998年间，我学会了热爱涪陵。能再次回到长江上的感觉真好，哪怕它的旧时激流只存于我的记忆之中。”

关联点：作者在作品里同样表现出了对所在城市的热爱。

与《边城》的相似点： 内容

1

关联点：________________

与《边城》的相似点： ________________

2

关联点：________________

与《边城》的相似点： ________________

提示问题：

1.《边城》所展示的内容与你自己的生活有联系吗？

2. 这个故事与某个地方或某些人有关联吗？

3. 你能联想到以前读过的书或故事吗？它们之间有什么相似点和不同点呢？

4. 在你所能想到的关联中，你觉得最有趣、最重要的关联是什么？

课后反思 这个活动中有哪些需要回想和思考的地方？请写下来。

1.3.6 大意概括

简单说来，作品的大意概括就是用简短的语句概括作品的主要内容与主题。大意概括得好不好，能直接反映出阅读者对作品了解得是否全面、透彻，同时也能展现出阅读者语言运用的熟练度与精准度。

虽然作品的大意概括并没有特别的字数要求，但如果把作品大意写成一部作品的迷你版，连一些诸如日期、服饰之类的细枝末节都罗列出来的话，可能就无法再称为“大意概括”，而是“作品缩写”了。

请试着利用下面三个表格完成《边城》的大意概括。

表 1　我对作品知多少

作品名称	作者	创作年代	文体

主要人物及关系	主要地点	作品中的时代

主要事件	语言风格	结构特点

作品主题与创作意图

大意概括包括三个部分：主题句、主要内容和主题揭示。其中“主题句”部分可以直接将表 1 第一行的关键信息连缀在一起；“主要内容”可参考表 1 第二、三行的关键信息，然后按照作品情节顺序，把主要人物和主要事件连缀起来；“主题揭示”部分可参考表 1 第四行的关键信息，概括作品主题和创作意图。

根据上述提示，完成下面的大意概括。注意：需选用准确、专业的语言，避免使用口语词汇。比如，使用“创作”而非“写的”，使用“一部”而非“一个”，使用“作品”而非“书”。

表 2.1　大意概括

主题句： ______________________________

____

主要内容： ______________________________

____

主题揭示： ______________________________

____

表 2.2　大意概括句式参考模板

主题句：

创作于______世纪__________年代的__________《边城》是中国著名作家__________的代表作之一。

主要内容：

这部作品以__________的笔调、__________的结构安排，详细记叙了______________________在__________的生活。同时，也描述了__________________________________的全部过程。最后，小说以__________________________________为结局。

主题揭示：

这部作品表达出作者对________________的__________。

根据下面的自查表来检查自己的大意概括情况，看看自己是否每个方面都做到了，做到的打“√”。

表 3　大意概括自查表

□ 1. 我的“主题句”中包括了作者、创作时代、作品文体及作品名称。

□ 2. 我按照作品情节顺序把主要人物和主要事件写出来了。

□ 3. 我用一句话点明了作品的主题。

□ 4. 我没有加入任何自己的观点。

□ 5. 我没有引用作品中的任何词句。

□ 6. 我的词句使用很恰当，过渡也很自然。

2 第二单元：文本细读

2.1 小说人物

2.1.1 人物档案

人物形象是构成小说的三要素之一。为了全方位地刻画人物形象，作者常常运用各种艺术手法，从不同角度对人物进行描写与塑造。最常见的有：外貌描写、语言描写、动作描写和心理描写。这些描写能同时呈现人物外在与内在的特点，从而塑造出丰满的人物形象。

2.1.1.1 头脑风暴图

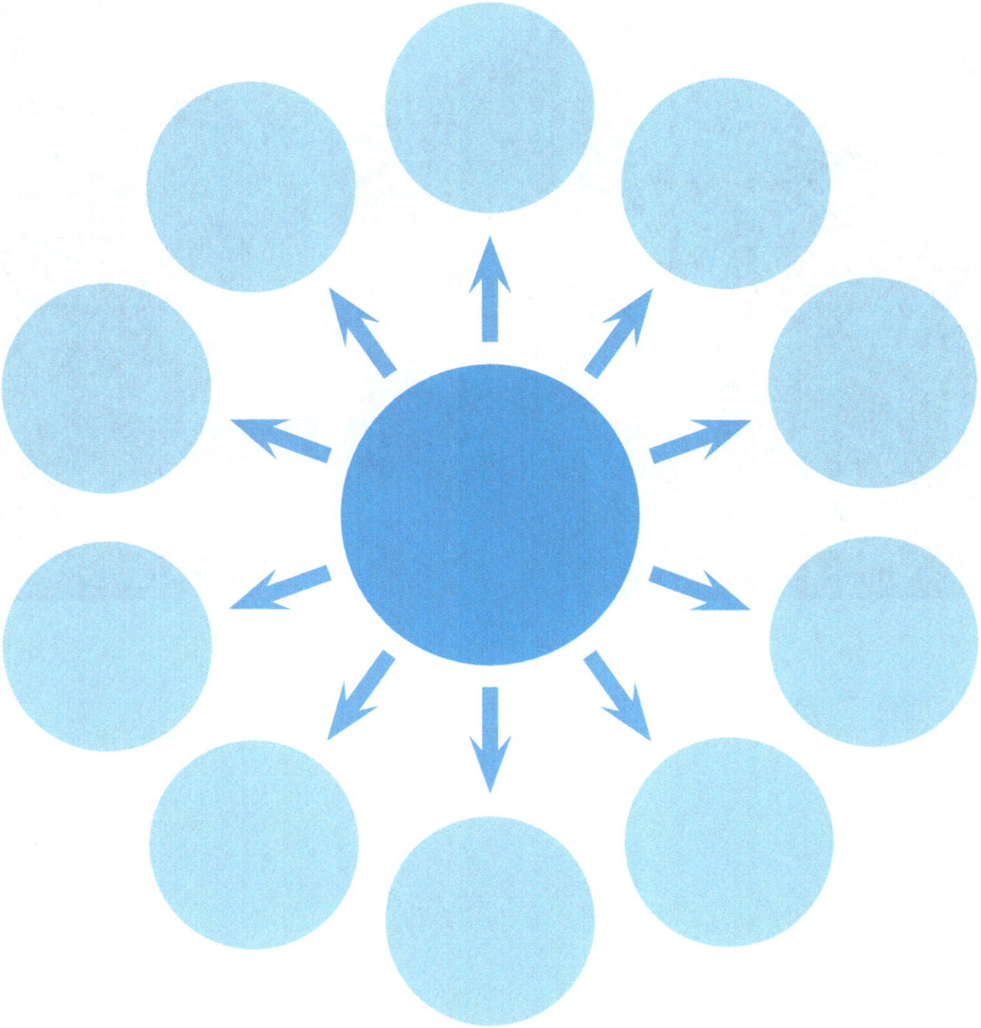

我选择的人物是________________

2.1.1.2 人物初级档案表

从作品中分别找出相关人物的具体例子，然后将主要内容和所在章节填入下表。

______________初级档案

外貌	人物特点
语言	
动作	
心理	

请将小组成员均认同的典型例子及其所在章节填入下表。

外貌	人物特点
语言	
动作	
心理	

2.1.1.3 课后反思表

课后反思　这个活动中有哪些需要回想和思考的地方？请写下来。

关于人物 1__________：______________________________

关于人物 2__________：______________________________

关于人物 3__________：______________________________

关于人物 4__________：______________________________

思考：____

____

____

2.1.2 人物生活掠影

正如我们在生活中所经历的一般，每个人都随着时间的流逝而发生或积极或消极的变化，小说作品中的人物也是一样。高明的作家会利用有限的篇幅展现出人物的复杂性与丰富性，从而揭示典型环境中人物独特的精神世界和命运，因此针对情节中人物变化发展过程的描写也是探讨作品主题时非常值得关注的方面。当然，某些作品中也存在一些“扁平人物”，或称“概念性人物”，但无须作为研究重点。

2.1.2.1 人物发展过程图

根据选定的人物，找出该人物在作品中个性发展变化的关键点，记录在下图中。所在章节和关键点前后的时间可以记录在圆形图案中，箭头的部分可以用来填写具体的例子。

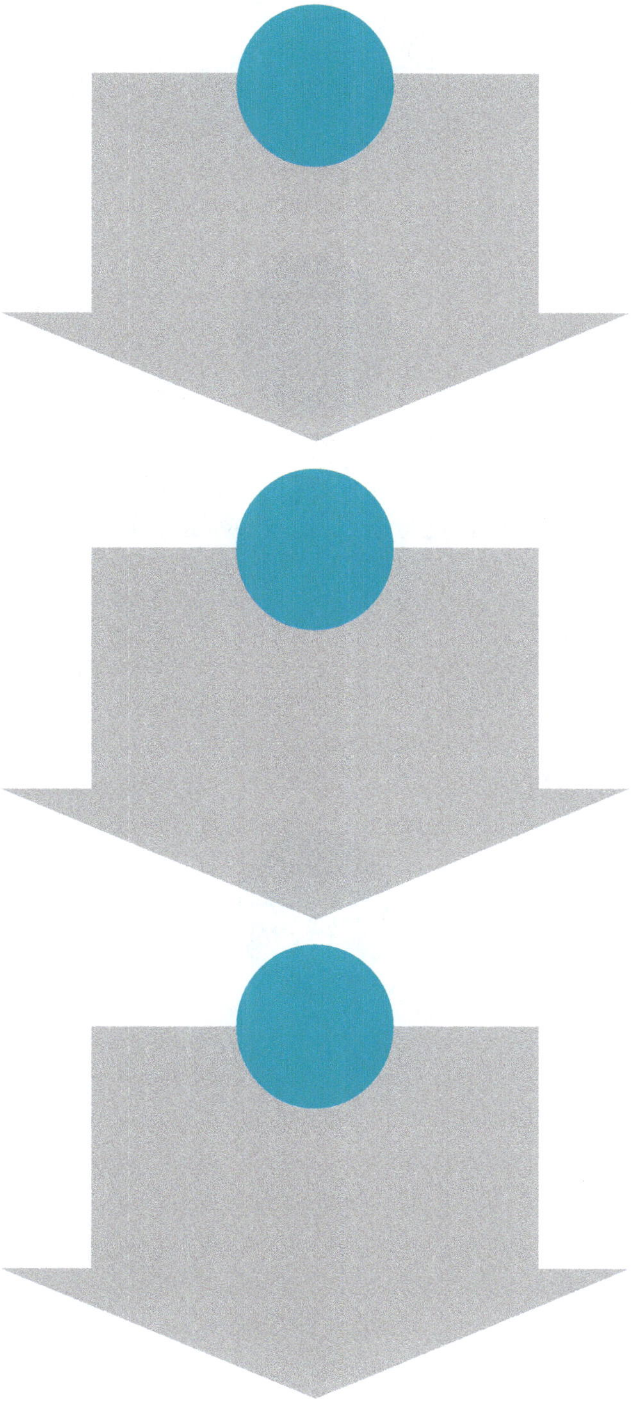

下面以爷爷为例，请你继续补充。

人物：爷爷

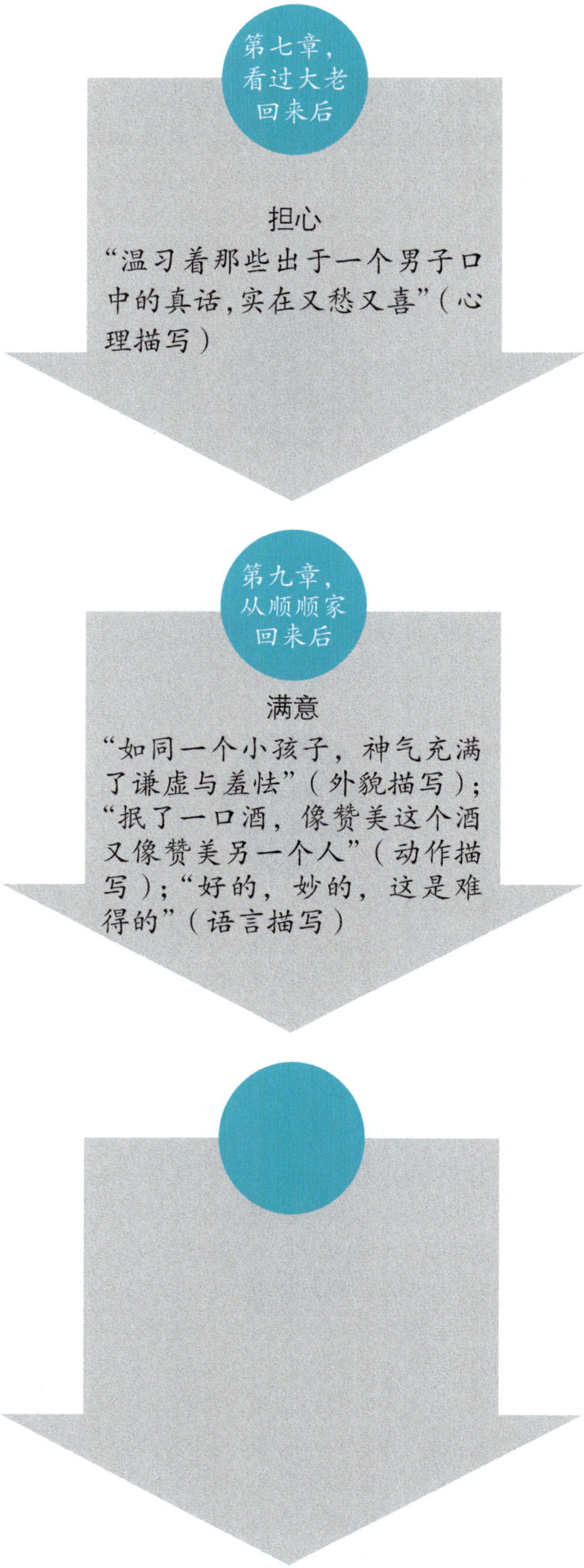

2.1.2.2 生活掠影表

根据 2.1.2.1 的“人物发展过程图”，在下面的“________生活掠影”中画出该人物各个发展阶段的特点，并在下面加上简单的注释。

________生活掠影

1)	2)	3)
4)	5)	6)
7)	8)	9)

下面以爷爷的生活掠影为例：

爷爷的生活掠影

1）静静地、忠实地生活的爷爷	2）温习天保的话、又愁又喜的爷爷	3）满意的、开心的爷爷	4）……的爷爷

2.1.2.3 整理总结——T.E.E.写作

T.E.E. 是指由“主题句（Topic sentence）—证据（Evidence）—解释（Explain）”三部分组成的一种论述文结构形式。

阅读比较

比较下面的例子，想一想：对人物的描述，哪一段更好？

例 1

作者把老船夫刻画成了一个尽职尽责、照顾他人的人。例如：“船将拢岸了，管理这渡船的，一面口中嚷着‘慢点慢点’，自己霍的跃上了岸，拉着铁环，于是人货牛马全上了岸，翻过小山不见了。”作者通过“慢点慢点”这样的语言描写和“霍的跃上岸”这样的动作描写刻画了一个尽职尽责、照顾他人的老船夫形象。

例 2

作者在小说开头部分用简单几笔就刻画出了一个生动的老船夫形象。当载着客人和货物的船靠岸时，他会“嚷着‘慢点慢点’”，表现出对乘船人的关心与照顾；而自己却“霍的跃上岸”，不顾自己已经七十岁了。这里的语言描写与动作描写形成了鲜明的对比，把老船夫尽职尽责的一面表现了出来。

你的意见及理由

写作初稿

同学建议

写作练习

根据课堂讨论和记录，选择其他小组或同学研究的人物，试着月T.E.E. 的论述方式来描述这个人物的发展过程，并写下来。

老师建议

2.1.3 人物关系

故事中人物与人物之间的关系，即彼此之间如何看待，如何互动，这种互动又如何推动故事情节的发展……往往成为一部作品触动读者情感和兴趣的关键。作者经常利用精心织成的人际关系网来达到刻画人物、创造故事张力的效果。

沈从文在《边城》里编织出来的老船夫与其他人物之间的关系网，一方面呈现出当时当地的风土特色、人情世故及人物的处事态度，另一方面也让读者更深刻地了解了“老船夫”这个人物。

请以《边城》第一章文本为基础，完成下图的填写，然后讨论作者是如何通过人物关系的铺陈来展现老船夫的特点的。

老船夫 → 老船夫 → 老船夫 → 老船夫

·自己　·过渡人　·女儿　·翠翠

总结：老船夫有__________、__________、__________、__________等特点。

学生分组，完成其他人物关系网，并总结人物特点。时间建议为15—20分钟。

翠翠 → 翠翠 → 翠翠 → 翠翠 → 翠翠

·自己　·老船夫　·大老　·傩送　……

总结：翠翠有__________、__________、__________、__________等特点。

大老 → 大老 → 大老 → 大老 → 大老

·自己　·老船夫　·翠翠　·傩送　……

总结：大老有__________、__________、__________、__________等特点。

傩送 → 傩送 → 傩送 → 傩送 → 傩送

·自己　·老船夫　·翠翠　·大老　……

总结：傩送有__________、__________、__________、__________等特点。

2.1.4 人物心理

《边城》对人物心理进行了多样而细腻的描摹。这些描摹中不乏上帝视角——直接细致地描写人物心理，但也时常辅以内心独白、自言自语、梦境、预言、警语等方式；此外，作者更是自如地借用景物、动作等细节艺术地表现人物。

2.1.4.1 片段分析

步骤一：请快速阅读小说，画出其中有关心理描写的章节，并记录页码。

步骤二：从老师的分析示范中，你学到了什么？片段分析要注意哪些地方？请把要点记录下来。

步骤三：小组口头分析练习，将笔记写在下面的空白处。请注意以下要点：

问题	笔记
1. 人物是在怎样的情境下产生这些心理活动的？	
2. 作者是怎样进行人物心理描写的？（直接描摹、独白、对话、借助景物、动作）	
3. 这段心理描写突出了人物怎样的性格特征？	
4. 这段心理描写怎样推动了情节的发展？	
5. 从这段心理描写可以看出，人物正在面对怎样的挣扎或挑战？	

步骤四： 根据老师的要求发表你们的讨论结果，并对照“人物心理分析自评单”做自评。

人物心理分析自评单
□ 1. 我们讨论了人物是在怎样的情境下产生这些心理活动的。
□ 2. 我们发现了作者是怎样进行人物心理描写的。
□ 3. 我们讨论了这段心理描写中突出了人物什么样的性格特征。
□ 4. 我们讨论了这段心理描写对情节发展的推动作用。
□ 5. 我们从这段心理描写中可以看出人物正在面对怎样的挣扎或挑战。

2.1.4.2 人物心理变化图

请选择一个人物，找出原文中该人物的心理活动描写，并思考：
1. 同一人物的心理在不同时期发生了哪些变化？（可以自制图表来表示）
2. 纵观整部小说，人物的成长历程是经历哪些心理变化而发生的？

翠翠：

老船夫：

大老：

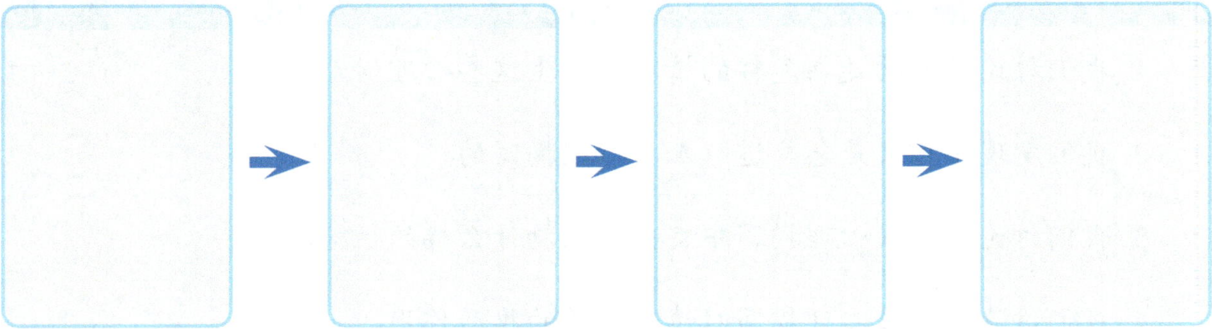

二老：

2.1.4.3 人物心理比较图

选择一章，列出不同人物在这一时期的不同心理描写，思考：

1. 不同人物在本章中各有哪些不同的心理活动？反映了他们之间怎样的关系？（可以自制图表来表示）
2. 另外再选一章，看看本章的人物心理与之前一章有何差异，并分析为什么会有这样的差异。

第_____章：

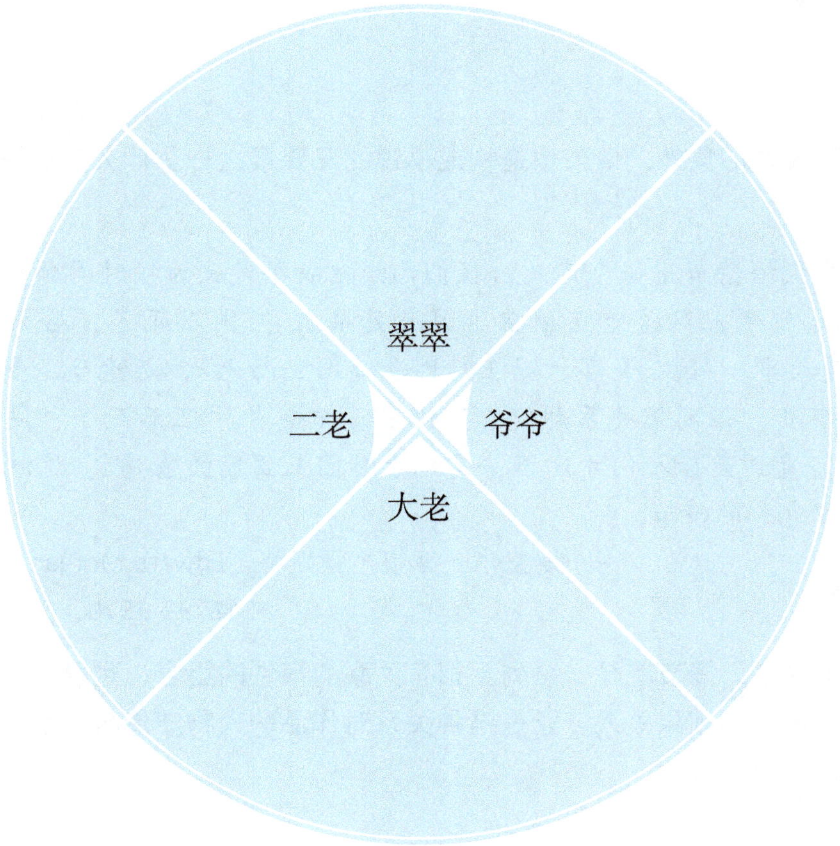

第_____章：

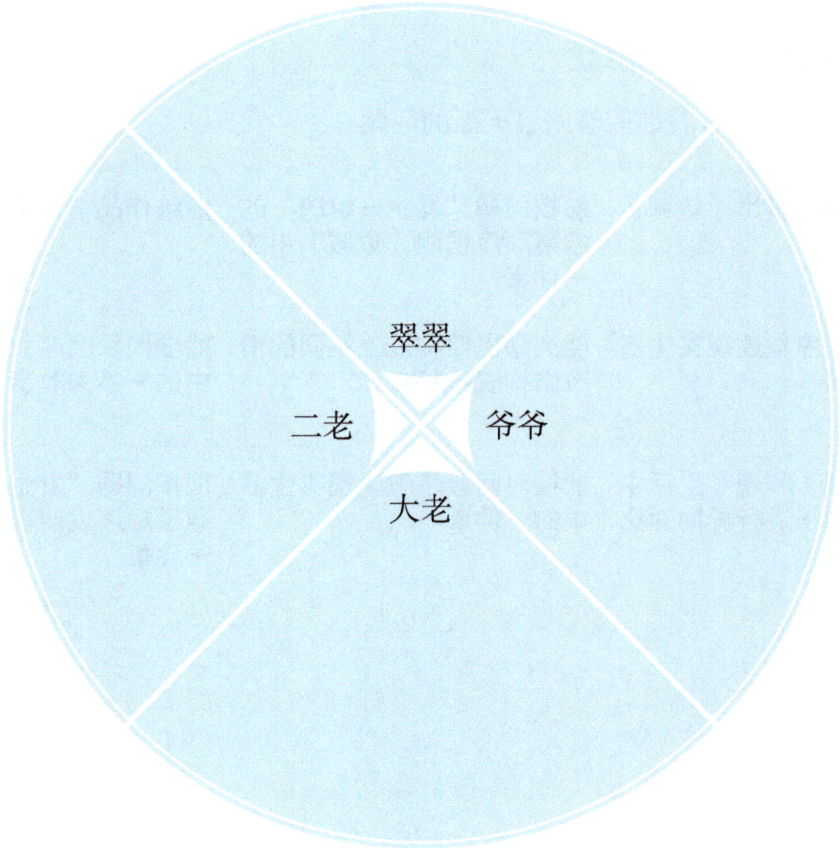

2.2 小说情节

除了人物形象外，情节也是构成小说的三要素之一。什么是小说情节？请看：

让我们给情节下一个定义，我们已经把故事定义为按时间顺序叙事。情节也是叙事，只是重点放在了因果关系上。“国王死了，后来王后死了”，是故事。“国王死了，而王后因悲痛国王而死”，是情节。虽然时间顺序没有变，但因果关系却使它淡化了。亦或者，“王后死了，没人知道为什么。直到最后人们才发现，是死于对国王驾崩的哀痛”。这就是一个富有神秘色彩的情节。

——爱德华·摩根·福斯特（Edward Morgan Forster）
1879—1970，英国小说家

简单说来，情节就是一系列互相有关联的事件的组合，且事件之间必然存在缺一不可的因果关系，正是这种关系对作品的人物塑造与主题生成起到了巨大的帮助作用。

2.2.1 小说情节宾果游戏

访问班里的同学，看看谁能够回答下面的问题。

能按时间顺序讲出《边城》中的故事	能按问题“发生—解决”的叙事顺序说明《边城》中的一件事	能给作品情节下定义
能按因果顺序叙述现实生活中的一件事	能列举出四种以上不同的情节结构安排特点	能按因果顺序叙述《边城》中的一系列故事
能从《边城》和现实生活中各举一个例子进行异同对比	能按时间顺序叙述现实生活中的一件事	能按问题“发生—解决”的叙事顺序说明现实生活中的一件事
记录：		

2.2.2 顺序图——对比时间顺序和叙述顺序

A. 事件发展之**时间**顺序图

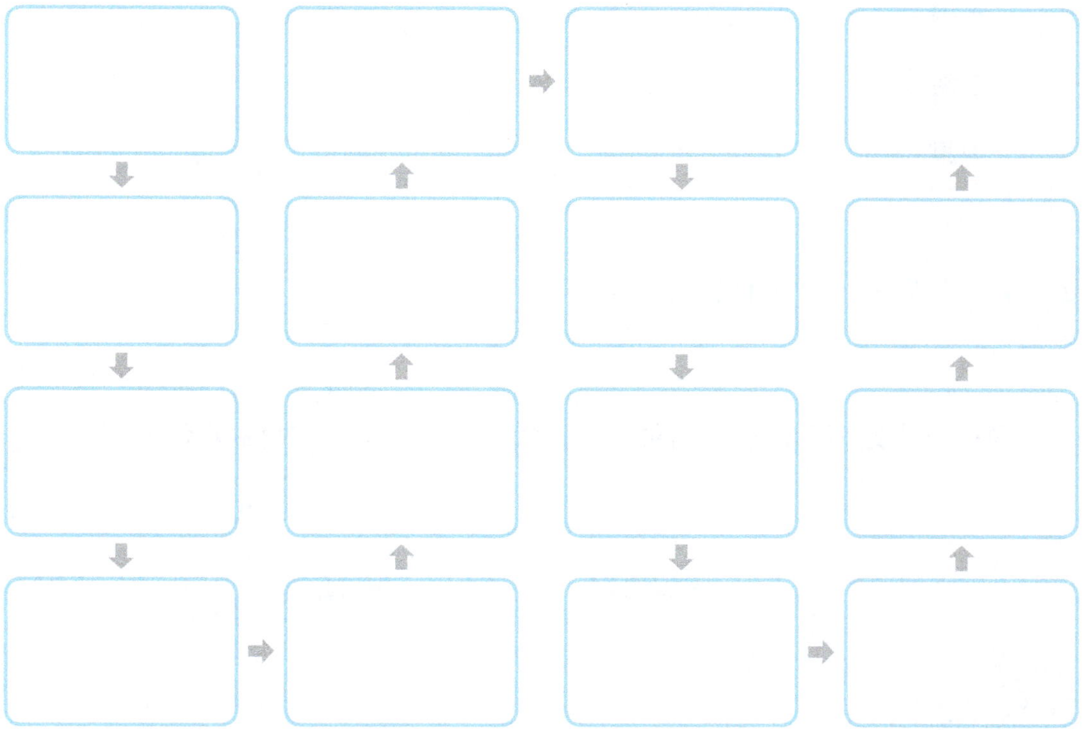

B. 事件发展之**叙述**顺序图

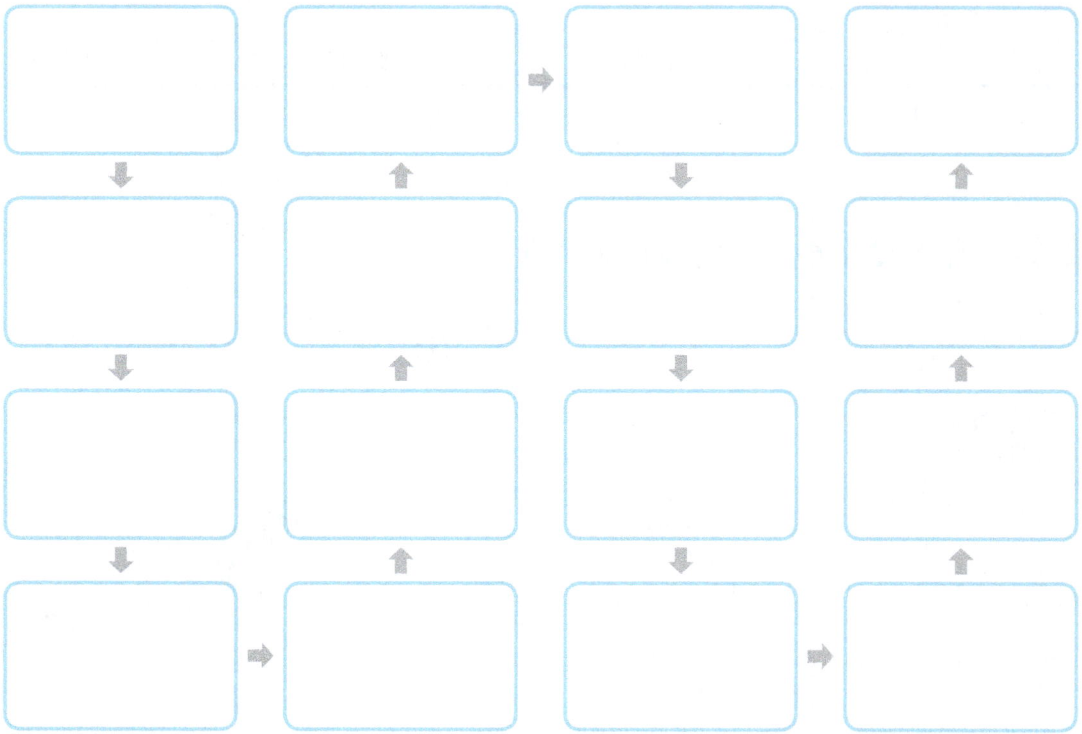

C. 总结

比较项	异	同
A 图		
B 图		
效果		

2.2.3 鱼骨图——事件因果关系

请在鱼头处填写最后的结果，在鱼骨部分填写不同方面的具体原因。

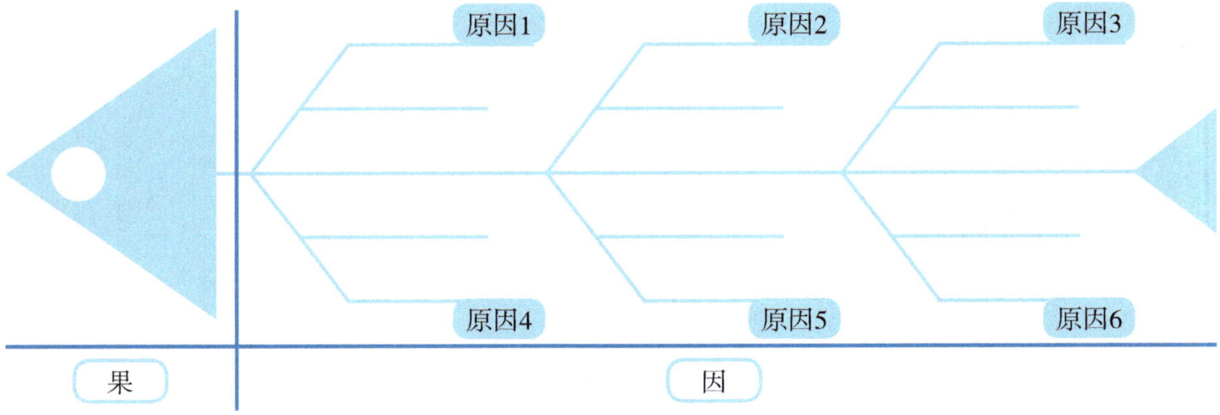

2.2.4 情节金字塔——情节构成特点

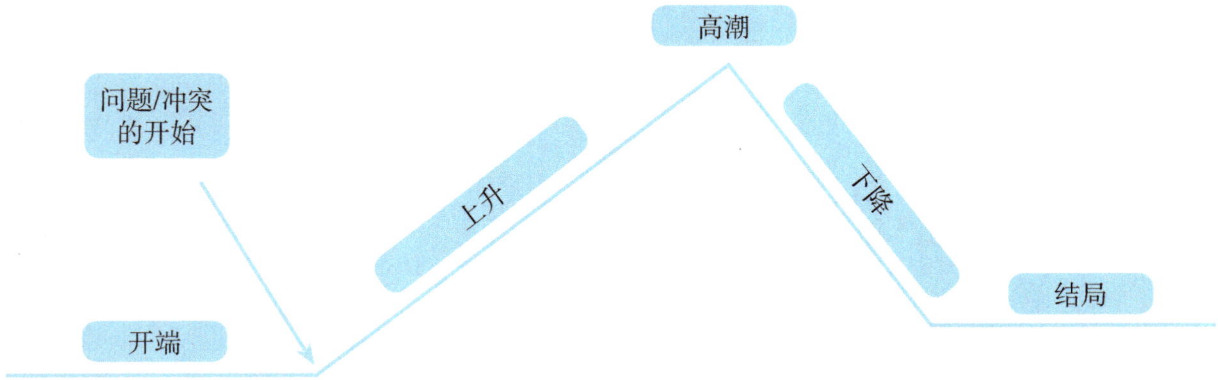

情节金字塔图

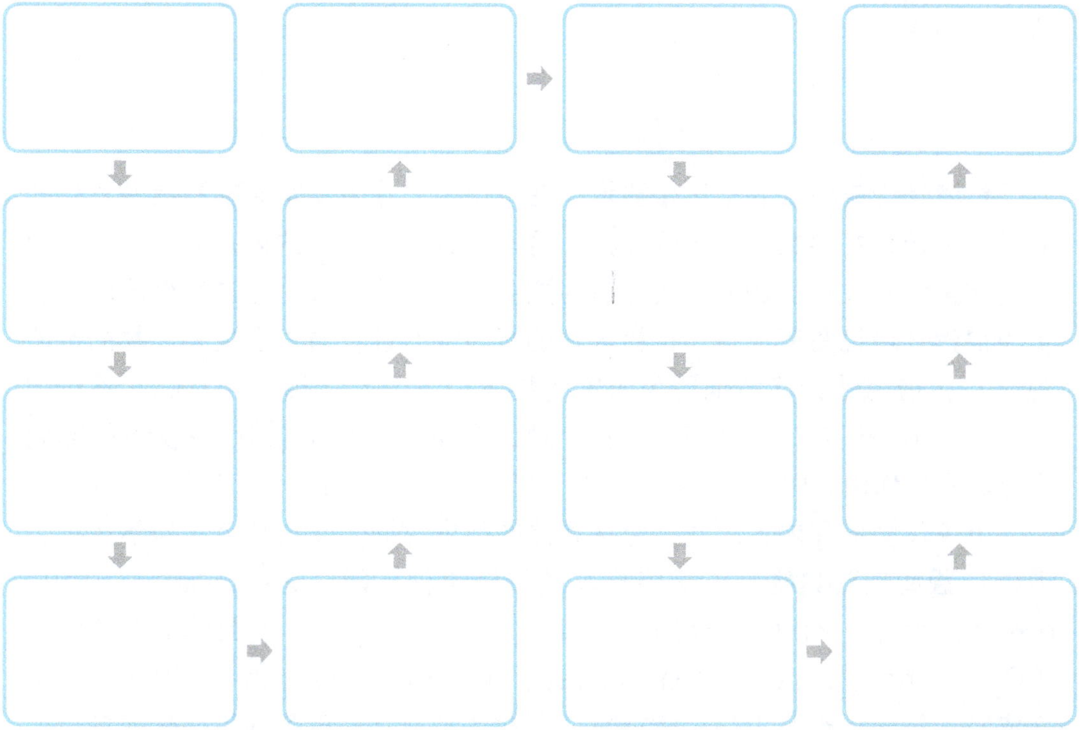

典型事例图

2.3 小说环境

环境是构成小说的第三个要素。在小说中，作者常常会描写事件发生的时代、地域、社会文化背景等元素，这些元素不是作者的闲来之笔，而是为了引起读者的注意。例如，当作者对主要人物的行为或心理进行刻画时，会借用自然环境描写来烘托、反衬人物的行为或心理；当表现主要人物的价值观时，会借用社会环境描写为人物的抗争进行渲染、铺垫和对比。不仅如此，环境描写还对推动情节与烘托主题，增强作品的可信度、真实性等起到不可忽视的作用。因此环境描写常与情节、人物一起被称为小说的三要素。

小说环境描写内容广泛，包括具体的历史时期、文化特色、自然风物、地理位置和景观景物等。环境描写的手法也很多样，有静态描写（Static description），有动态描写（Dynamic description）；有具体而微的细描（Close shot），也有勾勒轮廓的白描（Character sketch）；可正面、侧面描写相结合，也可虚与实相补充，调动各种感官；更可利用变化的角度进行一系列描写，或从某个固定角度进行类似于电影长镜头（Long shot）的铺陈。

2.3.1 知识测试

选择正确答案（可多选）。

1. 下列属于环境描写手法的有（　　　　）。

A. 动态描写、静态描写　　B. 正面描写、侧面描写

C. 细描、白描　　D. 虚写、实写

2. 下面哪些项目属于环境描写的范围？（　　　　）

A. 时代特征、地域文化　　B. 历史时期、文化特色

C. 自然风物、地理位置　　D. 社会价值观

2.3.2 环境描写手法及作用

A. 判断描写手法

判断下列句子中的环境描写分别属于哪一种手法。

1

小溪流下去，绕山岨流，约三里便汇入茶峒的大河，人若过溪越小山走去，则只一里路就到了茶峒城边。溪流如弓背，山路如弓弦，故远近有了小小差异。（第一章）

环境描写内容	
与之相关人物	
环境描写手法	
环境描写效果	

2

天快夜了，别的雀子皆似乎在休息了，只杜鹃叫个不息。石头泥土为白日晒了一整天，草木为白日晒了一整天，到这时节皆放散一种热气。空气中有泥土气味，有草木气味，且有甲虫类气味。（第十三章）

环境描写内容	
与之相关人物	
环境描写手法	
环境描写效果	

3

“十四岁多能干！将来谁得她真有福气！”

“有什么福气？又无碾坊陪嫁，一个光人。”

“别说一个光人，两只手敌得五座碾坊！洛阳桥也是鲁般两只手造的！……”这样那样的说着，那人笑了。（第十章）

环境描写内容	
与之相关人物	
环境描写手法	
环境描写效果	

B. 自然环境描写与社会环境描写

找出《边城》小说情节开端、发展、高潮、结局中环境描写的例子，要求每个环节分别有两个自然环境描写与社会环境描写的例子，并指出这些环境描写与哪个人物相关。

情节	自然/社会环境所在章节	描写内容	描写手法	与之相关人物	描写效果
开端					
发展					

（续表）

情节	自然/社会环境所在章节	描写内容	描写手法	与之相关人物	描写效果
高潮					
结局					
总结：					

2.4 叙事角度

当我们谈论一部作品的叙事角度（Narrative viewpoint）时，常常会用到叙事视角、第几人称、上帝的全知角度等说法。它们有什么区别？又有哪些重叠？

其实无论什么样的叙事文本，都是由作者来叙述的，只是表现在文本中时，作者有时让自己无所不知，像上帝一样全知全能，从视、听、闻、触各个角度进行叙述，甚至各个人物内心的所思所想都直接通过笔端表现出来，这就成了“全知叙事”（Omniscient narrative），这样叙述常常采用“第三人称”（Third person point of view），也叫“全知视角”（Omniscient perspective）。有时作者又将自己附着在人物身上，可以知其所知，想其所想，通过对其他人物的有限了解制造出情节上的悬念与曲折，这就成了“限制叙事”（Restricted narrative），这种叙述会采用“第一人称”（First person point of view），但有时可能是主人公直接叙述，有时也可能是由一位见证者来转述主人公的经历，也叫“内视角”（Inside perspective）。还有些时候，作者也会省去对人物内心的描写与分析，仅做客观记录，这就成了“纯客观叙事”（Objective narrative），也叫“外视角”（Outside perspective）。

有没有发现，其实只是因为类别的不同，叙事角度的说法就有变化？但是一个很有趣的现象就是，“第二人称”（Second person point of view）在小说叙事中出现的次数并不多。此外，有时作者也会不仅仅采用某个单一角度，而是将上述方式在一部作品中轮流使用，以制造出不同的效果。

2.4.1 知识测试

选择正确答案（可多选）。

1. 在全知叙事中，（　　　）。

A. 叙述者无所不知　　B. 作品中的人物无所不知

C. 采用“全知视角”　　D. 常常采用“第三人称”

2. 下面哪些不属于“内视角”？（　　　）

A. 采用“第一人称”叙事　　B. “我”转述别人的事

C. 客观叙事　　D. 记录每个人物的心理活动

2.4.2 叙事角度的特点及作用

《边城》这部作品中变换使用了全知视角、内视角与外视角。作品一开始，作者便以全知全能的角度叙述茶峒的自然地理环境、当地风土特色、老船夫与翠翠、顺顺家的天保傩送及其他人物，如同电影的长镜头一般，将环境与出场人物向读者逐一进行交代与介绍。

而在进行具体人物描写时，作者又常常切换视角，其中最为频繁的莫过于对翠翠这个人物的刻画。他有时会切换成内视角，描写翠翠的一些心理变化及梦境，来展现翠翠的内心活动；有时也会切换成较为客观的外视角，记录她外貌神态的变化，让读者自行体会；当翠翠与其他人物对话时，作者又会切换至全知视角。

A. 判断叙事角度的类别

判断下列句子的叙述角度分别属于哪一种。

1

梦中灵魂为一种美妙歌声浮起来了，仿佛轻轻的各处飘着，上了白塔，下了菜园，到了船上，又复飞窜过悬崖半腰……（第十四章）

叙事角度	
效果	

2

翠翠把竹篮向地下一倒，除了十来根小小鞭笋外，只是一把大的虎耳草。老船夫望了翠翠一眼，翠翠两颊绯红跑了。（第十七章）

叙事角度	
效果	

B. 叙事角度切换举例及效果分析

找出《边城》在不同阶段几个主要人物切换叙事角度的例子，并思考这种切换的作用与效果。

视角及作用	老船夫	天保	傩送	自选人物1	自选人物2
视角1					
例子1					
作用1					
视角2					
例子2					
作用2					
视角3					
例子3					
作用3					
视角4					
例子4					
作用4					
视角5					
例子5					
作用5					
总结					

2.5 意象与象征

“意象”（Imagery）是诗学理论中的一个重要概念，就是将主观情感之“意”寄托于客观事物之“象”上，即我们常说的寓“情”于“物”。在中国传统诗文中，有从自然中撷取意象的，如月亮、流水等；也有借助幻境，特别是梦境进行象征性描写的；亦有借一些奇特的事物或创造的形象来赋予其象征意义的；有时甚至是色彩、符号的运用。

这些意象所蕴含的意义既有其自身的，也有超越自身的更深的含义，因此不同的作家对同一意象的运用也会制造出含蓄且多义的意境与氛围，起到象征（Symbol）的作用。

2.5.1 激活个人经验

讨论前：根据个人阅读经验回答下面的问题。

1. 《边城》中出现了哪些特别的自然景物或事物？

2. 你觉得它们有什么象征性？

3. 这些景物跟作品主题有什么关系？

2.5.2 列举具有象征意义的事物

讨论、分享： 小组讨论时提出各自找到的具有象征意义的事物并说明理由，将1—3个共同的方面记录下来。

意象2：________
象征2：________

意象1：________
象征1：________

意象3：________
象征3：________

主题

2.5.3 意象与象征手法个案研究

讨论、综合： 各组分别研究作品中的一个意象及其象征性，根据下面的提示进行资料搜集、研究、讨论，并完成记录。

意象：

图片：

定义：

象征性：

关联：

文中证据：

2.5.4 意象与象征研究总结

资料整理： 分别用一段话对每个意象和象征手法进行总结。

意象1：

意象2：

意象3：

意象4：

3 第三单元:《边城》内外

3.1 时代背景

阅读材料

《边城》的时代背景

1911年，中国最后一个封建王朝清朝结束了自己的统治。除了来自西方的科技、工业产品的影响外，新的思潮也在剧烈地影响着中国社会，为社会带来了不同的风气，如创办新式学堂、提倡婚姻自由、女性开始接受教育等。但封建思想仍然根深蒂固地存在于社会中，特别是在远离城市的农村。

《边城》中的茶峒，地处湘黔渝三省交界，是一个远离城市文明的山城。那里生活着许多少数民族，交通闭塞，往来仅凭水路，因此保留着许多少数民族原生态的风俗习惯，如书中提到的赛龙舟、包粽子、捉鸭子、求婚唱山歌等；而且，这个边城因为风俗淳朴，当地人甚至“从不用读书人的观念”指摘与轻视妓女，人与人之间保留着淳朴自然、热心互助的乡情，这一点在书中也处处可见。社会的巨大变迁，居然在这个宁静稳固的山城中几乎看不到痕迹，或痕迹极其隐约轻微。

战争

《边城》成书于20世纪30年代，故事的背景是20世纪二三十年代湘黔渝交界的边城小镇，中国在结束清王朝统治后，建立了北洋政府，然而各地仍然是军阀混战，社会也动荡不安。

沈从文的故乡湖南也被湘西的军阀控制，他曾在“题记”中提到自己在其他作品中打算写一下“二十年来的内战，使一些首当其冲的农民，性格灵魂被大力所压，失去了原来的朴质，勤俭，和平，正直的型范，成了一个什么样子的新东西；他们受横征暴敛以及鸦片烟的毒害，变成了如何穷困与懒惰！……”

然而，这种战争带来的人性的黑暗扭曲，几乎完全没有体现在《边城》中。沈从文有意在《边城》中完全避开时代的影响，集中展示茶峒“世外桃源”的一面。夏志清评论他：“在描写苗族青年恋人的欢乐与死亡时，沈从文就让自己完全耽溺于理想主义的境界。结果是，写出来的东西与现实几乎毫无关系。”

女性

教会建立的新式学堂，使城市富裕家庭的女孩也可以接受教育，打破了封建社会对女性“女子无才便是德”的束缚。但对于大部分贫困家庭以及在农村生活的女性而言，她们的境况并没有很大的改善，她们的生活范围仍然很狭窄，大部分依附于男性而生存。除了少数城市的女孩以外，农村和贫苦家庭的女孩大多不能受教育，也无法主宰自己的爱情和婚姻，长大后便由“父母之命，媒妁之言”嫁为人妻、成为人母。她们很少在外面从事工作，几乎无法独立在社会上生存。

《边城》第二章中提到一类人：“这种妇人不是从附近乡下弄来，便是随同川军来湘流落后的妇人，穿了假洋绸的衣服，印花标布的裤子，把眉毛扯得成一条细线，大大的发髻上敷了香味极浓俗的油类，白日里无事，皆坐在门口做鞋子，在鞋尖上用红绿丝线挑绣双凤，或靠在临河窗口上看水手起货，听水手爬桅子唱歌。到了晚间，则轮流的接待商人同水手，切切实实尽一个妓女应尽的义务。”从这段描写中可以看到，农村的贫困和战争带来了妓女，她们为了生存聚居于茶峒小镇，虽然这个职业受到社会的普遍轻视，但因为边城风俗淳朴，当地人并不用“读书人的观念”指摘与轻视妓女，使得社会地位最低下的这一群人也有了一定的生存空间。

婚姻

女性一生中最重要的事情莫过于婚姻。民国时期的社会风气日渐开放，许多女性因为接受教育的原因而走出闺门，有机会认识男性，从而在恋爱上有了一定的主动权。然而，社会上还是普遍认同“嫁鸡随鸡，嫁狗随狗”的观念，使得女性一旦嫁给某个男性，就是一辈子的事情。当时的社会风俗并不提倡男女自由恋爱，女孩子也很少有机会与年轻男性见面，所以婚姻是在长辈的安排下进行的，一旦长辈们认为彼此“门当户对”，双方的婚事就可以提上日程。社会也不认同离婚或分居，因此这样的事情很少发生。

在《边城》中，男女之间的爱情是通过“唱山歌”的形式产生的，翠翠的母亲便是如此认识了翠翠的军人父亲。他们之间的爱情因不在“父母之命”的庇护下而变得不光彩；又因为男女之间未结婚就怀孕生子而无法在当地立足，因此双方只能选择远走或自杀。了解了这一背景，才有助于理解为什么翠翠的母亲在生下翠翠后故意吃了许多冷水死去的行为。

在《边城》中，老船夫也竭力想为翠翠促成一桩好姻缘。虽然翠翠心有所属的人是二老，但这桩婚姻最后也要由老船夫出面，与男方的长辈沟通。好在《边城》中人们对待爱情的态度更为原生态和自然一些，因此无论是老船夫还是顺顺，都更加尊重翠翠和二老自身的意愿。

3.1.1 拼图阅读

步骤一：分组阅读

阅读本组材料，思考以下问题：

- 从材料中可以看出当时的时代有什么特别之处？
- 如果你是那个时代的作家，你会设计一个什么样的故事展现那个时代的特点？
- 《边城》是如何体现时代特点的？

步骤二：拼图阅读

与其他组分享阅读材料，记下讨论中的要点：

步骤三：归纳总结

总结阅读材料内容，评价各组报告同学的表现：

3.1.2 时代对比

请阅读1—3章，然后完成下面的表格。

对比项	《边城》的时代	今天
从四川到湖南的交通方式		
渡船的样子（描述或画图）		
女孩子认识异性的方式		
人们对待未婚生子的态度		
社会对待妓女的态度		
买卖媳妇的现象		
年轻人受教育的情况		
社会所尊敬的人的品格		
一年中最热闹的日子和活动		

思考

- 从以上对比中，你有哪些发现？
- 如果《边城》的故事发生在今天，人们会做出怎样不同的选择？

延伸活动 创意写作

如果你穿越到当年的茶峒，会发生什么？
如果翠翠来到了新时代，你会对她说什么？
请自选人称、角度及文体写作。

3.2 作家研究

3.2.1 作者生平

请与小组成员上网查找沈从文的生平经历，并准备报告。

笔记：

请记录各组报告中的其他要点：

根据你们的研究，完成下面的表格：

年份	当年的经历	当年中国的一件大事
1902年	沈从文出生于湖南	
19_____年		
19_____年		
19_____年		
19_____年		

完成表格后，根据沈从文的经历，将他的生平整理成一篇500字左右的小传，要求至少包括他一生中比较重要的五个年份和他当年的经历。小传可以是第一人称或第三人称。

3.2.2 延伸阅读

夜泊鸭窠围

十六日下午六点五十分

我小船停了，停到鸭窠围。中时候写信提到的“小阜平冈”应当名为“洞庭溪”。鸭窠围是个深潭，两山翠色逼人，恰如我写到翠翠的家乡。吊脚楼尤其使人惊讶，高矗两岸，真是奇迹。两山深翠，惟吊脚楼屋瓦为白色，河中长潭则湾泊木筏廿来个，颜色浅黄。地方有小羊叫，有妇女锐声喊“二老”，“小牛子”，且听到远处有鞭炮声，与小锣声。到这样地方，使人太感动了。四丫头若见到一次，一生也忘不了。你若见到一次，你饭也不想吃了。

我这时已吃过了晚饭，点了两支蜡烛给你写报告。我吃了太多的鱼肉。还不停泊时，我们买鱼，九角钱买了一尾重六斤十两的鱼，还是顶小的！样子同飞艇一样，煮了四分之一，我又吃四分之一的四分之一，已吃得饱饱的了。我生平还不曾吃过那么新鲜那么嫩的鱼，我并且第一次把鱼吃个饱。味道比鲥鱼还美，比豆腐还嫩，古怪的东西！我似乎吃得太多了点，还不知道怎么办。

可惜天气太冷了，船停泊时我总无法上岸去看看。我欢喜那些在半天上的楼房。这里木料不值钱，水涨落时距离又太大，故楼房无不离岸三十丈以上，从河边望去，使人神往之至。我还听到了唱小曲声音，我估计得出，那些声音同灯光所在处，不是木筏上的簰头在取乐，就是有副爷们船主在喝酒。妇人手上必定还戴得有镀金戒子。多动人的画图！提到这些时我是很忧郁的，因为我认识他们的哀乐，看他们也依然在那里把每个日子打发下去，我不知道怎么样总有点忧郁。正同读一篇描写西伯利亚方面农人的作品一样，看到那些文章，使人引起无言的哀戚。我如今不止看到这些人生活的表面，还用过去一分经验接触这种人的灵魂。真是可哀的事！我想我写到这些人生活的作品，还应当更多一些！我这次旅行，所得的很不少。从这次旅行上，我一定还可以写出很多动人的文章！

引导问题：

1.《边城》中“翠翠的家乡”是什么样子的？

2.“二老”是不是当地以出生排序对孩子的普遍称呼？

3. 这个画面是作者看到的吗？为什么他的心情很忧郁？

三三，木筏上火光真不可不看。这里河面已不很宽，加之两面山岸很高（比劳山高得远），夜又静了，说话皆可听到。羊还在叫。我不知怎么的，心这时特别柔和。我悲伤得很。远处狗又在叫了，且有人说“再来，过了年再来！”一定是在送客，一定是那些吊脚楼人家送水手下河。

4. 说话的是什么人？为什么说“过了年再来？”

风大得很，我手脚皆冷透了，我的心却很暖和。但我不明白为什么原因，心里总柔软得很。我要傍近你，方不至于难过。我仿佛还是十多年前的我，孤孤单单，一身以外别无长物，搭坐一只装载军服的船只上行，对于自己前途毫无把握，我希望的只是一个四元一月的录事职务，但别人不让我有这种机会。我想看点书，身边无一本书。想上岸，又无一个钱。到了岸必须上岸去玩玩时，就只好穿了别人的军服，空手上岸去，看看街上一切，欣赏一下那些小街上的片糖，以及一个铜元一大堆的花生。灯光下坐着扯得眉毛极细的妇人。回船时，就糊糊涂涂在岸边烂泥里乱走，且沿了别人的船边“阳桥”渡过自己船上去，两脚全是泥，刚一落舱还不及脱鞋，就被船主大喊：“伙计副爷们，脱鞋呀。”到了船上后，无事可做，夜又太长，水手们爱玩牌的，皆蹲坐在舱板上小油灯下玩牌，便也镶拢去看他们。这就是我，这就是我！三三，一个人一生最美丽的日子，十五岁到廿岁，便恰好全是在那么情形中过去了，你想想看，是怎么活下来的！万想不到的是，今天我又居然到这条河里，这样小船上，来回想温习一切的过去！更想不到的是我今天却在这样小船上，想着远远的一个温和美丽的脸儿，且这个黑脸的人儿，在另一处又如何悬念着我！我的命运真太可玩味了。

5. 沈从文对自己年轻时混迹江湖的那段岁月有哪些复杂的情感？

我问过了划船的，若顺风，明天我们可以到辰州了。我希望顺风。船若到得早，我就当晚在辰州把应做的事做完，后天就可以再坐船上行。我还得到辰州问问，是不是云六[1]已下了辰。若他在辰州，我上行也方便多了。

现在已八点半了，各处还可听到人说话，这河中好像热闹得很。我还听到远远的有鼓声，也许是人还愿。风很猛，船中也冰冷的。但一个人心中倘若有个爱人，心中暖得很，全身就冻得结冰也不碍事的！这风吹得厉害，明天恐要大雪。羊还在叫，我觉得希奇，好好的一听，原来对河也有一只羊叫着，它们是相互应和叫着的。我还听到唱曲子的声音，一个年纪极轻的女子喉咙，使我感动得很。我极力想去听明白那个曲子，却始终听不明白。我懂许多曲子。想起这些人的哀乐，我有点忧郁。因这曲子我还记起了我独自到锦州，住在一个旅馆中的情形，在那旅馆中我听到一个女人唱大鼓书，给赶骡车的客人过夜，唱了半夜。我一个人便躺在一个大炕上听窗外唱曲子的声音，同别人笑语声。这也是二哥！那时节你大概在暨南读书[②]，每天早上还得起床来做晨操！命运真使人惆然。爱我，因为只有你使我能够快乐！

二哥

我想睡了。希望你也睡得好。

十六下八点五十

① 云六，即作者的大哥沈云六。

② 暨南，这里指暨南大学女子部（中学），校址在南京。

《湘行书简》中的沈从文

请选读《湘行书简》中的一篇书信，画出自己喜欢的句子并体会其语言特点，并分析书信中体现出了沈从文怎样的心境、性格和语言特点。

你选读的书信题目是：________________

1. 你喜欢哪些句子？

2. 你认为书信中体现出了沈从文怎样的心境和性格？

3. 有哪些你不明白的词句？

3.2.3 专题研究

下面的题目可以作为 EE（Extended Essay，专题论文）参考题目：
- 你认为哪个年份是沈从文生命中最重要的一年？为什么？
- 沈从文为什么在1949年受到猛烈批判？

《边城》新题记

民十随部队入川，由茶峒过路，住宿二日，曾从有马粪城门口至城中二次，驻防一小庙中，至河街小船上玩数次。开拔日微雨，约四里始过渡，闻杜鹃极悲哀。是日翻上棉花坡，约高上二十五里，半路见路劫致死者数人。山顶堡砦已焚毁多日。民二十二至青岛崂山北九水路上，见村中有死者家人“报庙”行列，一小女孩奉灵幡引路。因与兆和约，将写一故事引入所见。九月至平结婚，即在达子营住处小院中，用小方桌在树荫下写第一章。在《国闻周报》发表。入冬返湘看望母亲，来回四十天，在家乡三天，回到北平续写。二十三年母亲死去，书出版时心中充满悲伤。二十年来生者多已成尘成土，死者在生人记忆中亦淡如烟雾，惟书中人与个人生命成一希奇结合，俨若可以不死，其实作品能不死，当为其中有几个人在个人生命中影响，和几种印象在个人生命中影响。

从文　卅七年北平

《边城》新题记解读

1948年，沈从文在上海生活书店初版的《边城》样书上，有这样一段题记，稀罕的是这部题记鲜少《边城》作品本身的内容，而是以悲伤的笔触杂记成书过程中几个极其个人化的片段：

第一个片段回溯作者年轻时，初入社会的他“民十随部队入川”。民国十年，即 1921 年，年仅 19 岁的沈从文已经参加军队，随部队进入四川。“由茶峒过路，住宿二日。”茶峒，正是《边城》故事的发生地，一个小山城。接着提到了他与小山城的短暂接触：“驻防一小庙中，至河街小船上玩数次。”也提到了离去那日的情景：“开拔日微雨，约四里始过渡，闻杜鹃极悲哀。”平淡笔触中隐约可见当时社会战乱所致的混乱：“半路见路劫致死者数人。山顶堡砦已焚毁多日。”

第二个片段，时间来到了民国二十二年，即1933年。地点转换到了“青岛崂山”，已经因写作成名且爱情得意的沈从文见到一个小女孩举着灵幡引路，心有所感，《边城》故事的灵感突现。“此番情景，《水云》第四节有过交代：‘故事上的人物，一面从一年前在青岛崂山北九水旁所见的一个乡村女子，取得生活的必然，一面就用身边黑脸长眉新妇作范本，取得性格上的素朴良善式样。一切充满了善，充满了完美高尚的希望，然而到处是不凑巧。既然是不凑巧，因之素朴的良善与单纯的希望终难免产生悲剧。’这个印象一定是非常深刻的，在未曾完稿的自传的一章《关于西南漆器及其他》中，他又有描述：‘还是一次去崂山玩时，路过一小乡村中，碰到人家有老者死亡，报庙招魂当中一个小女儿的哭泣，形成《边城》写作的幻念。记得当时即向面前的朋友许下愿心：我懂得这个有丧事女孩子的欢乐和痛苦，正和懂得你的纯厚与爱好一样多一样深切。我要把她的不幸，和你为人的善良部分结合起来，好好用一个故事重现，作为我给你一件礼物。你信不信？’”（张新颖《沈从文九讲》，中华书局，2015年）

第三个片段，1933年9月，沈从文到北平结婚，在自家小院里写下了《边城》第一章。

第四个片段，当年冬天，母亲病重，沈从文返回湘西，在家乡三天后，又回到北京续写这部小说。往返湘西四十多天的经历无疑为他带来了许多旧的回忆和新的灵感，1934年，《边城》出版的同年，他母亲去世，“书出版时心中充满悲伤”。

作品初版14年后的1948年，在曾为沈从文带来巅峰式成就的《边城》样书上，沈从文接着写下这段话：“二十年来生者多已成尘成土，死者在生人记忆中亦淡如烟雾，惟书中人与个人生命成一希奇结合，俨若可以不死，其实作品能不死，当为其中有几个人在个人生命中影响，和几种印象在个人生命中影响。”1948年5月，郭沫若作为左翼作家联盟的代表，发表了《斥反动文艺》一文，斥骂沈从文“作文字上的裸体画，甚至写文字上的春宫……一直是有意地作为反动派而活动着”，号召所有人批判这类“反动”文艺作品。

新题记写完后不久，沈从文经历了巨大的精神打击。1949年1月，沈从文工作的北京大学民主广场上贴出了批判他的大字报。1949年3月，他把手伸到电线插头上试图自杀。1953年，开明书店通知他：其作品因内容已过时，凡已印和未印的作品均代为焚毁。

请在互联网或图书馆搜索与你的题目相关的文章，并将题目（含网址）、文本大意记录在下表中：

我的专题研究题目：________	
参考文献1：	文本大意：
参考文献2：	文本大意：
参考文献3：	文本大意：
参考文献4：	文本大意：

3.3 文学特色

我阅读的章节是：第________章

步骤一：标题和大意（初次阅读）

第一次精读，给这一章定一个简单好记的描述性标题，最多不要超过7个字。

步骤二：第一印象（第二次阅读）

第二次精读，用彩笔画出印象深刻的词句，并写下来：

步骤三：观察和分析（第三次阅读）

观察该段的特点，将要点记录在下面：

步骤四：辨识文学特征（第四次阅读）

概括一下，从这一章中你找到了哪些文学上的特点？

根据示例，把自己对所选章节的研究记录在下面的表格中。

示例

第＿一＿章　　标题：渡船上的祖孙

印象深刻的词句	文学特征或修辞手法	画面或其他联想
由四川过湖南去，靠东有一条官路。这官路将近湘西边境到了一个地方名为“茶峒”的小山城时，有一小溪，溪边有座白色小塔，塔下住了一户单独的人家。这人家只一个老人，一个女孩子，一只黄狗。	从大到小，由巨到细	
	“一”的重复使用	
	“顶针”的修辞手法	

第＿＿＿章　　标题：＿＿＿＿＿

印象深刻的词句	文学特征或修辞手法	画面或其他联想

课后反思

记录下这个活动中涉及的作品要点，组句为段，下次课前10分钟进行口头分享。

3.4 文化语境

步骤一：头脑风暴

在阅读过程中，你对《边城》有什么样的主观印象和感受？例如：

1. 沈从文的语言风格你觉得与你曾经读过的哪部作品相似？
2. 在阅读过程中，你的心情是怎样的？
3. 你觉得哪些词句是沈从文特别喜欢重复使用的？
4. 这部作品中你最欣赏的部分有哪些？
5. 你觉得这部作品中的哪些现象是今天没有的？哪些是今天依然存在的？

步骤二：确定问题

根据上面的印象和感受，继续思考，直至确定最适合深度研究的题目。请完成下面的表格后与老师讨论。

你对边城的印象和感受	延伸思考	探究重点
1.《边城》里的景色像世外桃源一样美丽	•《边城》中美丽的风景真的存在于湘西吗？ •沈从文的成长背景与《边城》的创作有什么关系？	时代背景 作家研究
2.		
3.		
4.		
5.		

步骤三：寻找证据

确定题目后，你需要用证据来支持自己的推论，至少要列举出2—3个证据来对论题进行不同角度的论证。请参看例子并完成下面的表格。

论题	证据	资料来源
沈从文的成长背景与《边城》的创作有什么关系？	1. 沈从文的家乡也是一个美丽而偏远的小城，与茶峒非常相似	
	2. 沈从文年少时在部队的经历与他所写的茶峒码头生活息息相关	
	3. 沈从文把自己对爱情的理想寄托在翠翠这一人物身上	

我的论题	证据	资料来源
	1.	
	2.	
	3.	

步骤四：发表结论

将自己的发现和证据整理好后展示给全班，可以采用口头报告或书面论文的形式。

4 第四单元：评估——书面和口语测试

评估阅读整体成效常用的方式是要求学生写一篇评论文，一般有命题论文与自由论文两种选择。无论是哪一种，学生均需要根据题目描述，从所研究的文本出发，尽量全面地找到证据来支持自己的观点。常见的题目大多与一些文学主题（Theme）或母题（Motif）相关，如命运、爱情、抉择、世俗观念等。

评论文与所有的文章一样，也讲究 “凤头、猪肚、豹尾”，也就是说，开头要精彩，而且要简洁明了，用最突出的效果去吸引读者，给人留下鲜活的印象。中间的部分应结构严谨，条理清楚，论证严密，论据典型。好的结尾当如 “豹尾” 一样，简洁有力，不仅能再次突出论点，还要体现全文的紧凑、完整，不能草草结束，更不能画蛇添足。

究竟如何做到以上要求？下面提供了一个评论文的基本框架，大致分成五个部分：

1.自然导入：常言道：“良好的开端等于成功的一半。”一段贴切的导入语犹如乐曲的前奏，能为整个文章奠定基调，做好铺垫。当然，要写好开头也需要足够的积累。（这一步简称 “贴”）

2.呼应题目：通过诠释概念来挖掘题目的深意，明确论述的方向。这里可以引用文本，概括要义，使用问题中的说法来与之呼应。（这一步简称“解”）

3.承上启下：这是文章的主体，需要联系作品展开具体论述。（这一步简称“联、展”）

4.提供证据：每个分论点中至少需要给出1—2个例子，对作品进行文学鉴赏与论述。

5.总结观点：深化主题，再次呼应题目。（这一步简称“应、深”）

4.1 书面测试

4.1.1 测试题目

1. 作者是如何运用时代或环境的变化来展现社会对于人物命运的影响的？
2. 作品通过哪些叙事手法强调了主题？
3. 作者在不同环境中使用的语言有什么特点？请举例分析。
4. 作者为什么要描写老船夫这个人物在面临抉择时的矛盾心理？
5. 作者是怎样通过对茶峒这个地方不同人性的描述来展现作品的意义的？
6. 作者的价值观对当时和当今的读者会产生怎样不同的影响和认识？
7. 请分析作者在作品中采用不同意象所产生的艺术效果。
8. 作者运用哪些手法描写出了对当时当地婚俗爱情的观念？
9. 作者是怎样通过情节构造突出表现作品中的人物情感的？

4.1.2 活动设计

4.1.2.1 头脑风暴/写作大纲

题目：______________________________

开头	贴（切）	
	解（题）	
	联（结）	
	展（开）	

中间	分论点 1	
	作品例子 1	
	理由	
	作品例子 2	
	理由	
	分论点 2	
	作品例子 1	
	理由	
	作品例子 2	
	理由	
	分论点 3	
	作品例子 1	
	理由	
	作品例子 2	
	理由	
结尾	（呼）应	
	深（化）	

4.1.2.2 写作初稿

题目：____________________

4.1.2.3 同伴评估建议表

阅读同伴文章，根据评估指标，在相应的空格中打勾，并写出具体修改建议。

评估者姓名：____________________

评估内容	出色完成	基本完成	没有完成
论题回应			
结构安排			
语言语体			

修改建议：

4.1.2.4 个人写作反思表

根据评估指标，反思此次写作中的得与失，为接下来需要努力的目标列出具体的计划。

我做得好的地方	
我还需要改进的地方	
我的计划	

自查表

我的评论文做到了：

- ☐ 1. 回答了整个问题，而不是一部分问题。
- ☐ 2. 尽可能多地包括了作品所有的要素。
- ☐ 3. 在论述时使用了题目中的说法。
- ☐ 4. 举例恰当、具体，避免只是叙述与概括内容。
- ☐ 5. 评估了文学手法的效果。
- ☐ 6. 分析了文学手法如何影响读者。
- ☐ 7. 分析多于概括。
- ☐ 8. 开头、结尾不重复。
- ☐ 9. 语言恰当、准确。
- ☐ 10. 采用中立客观的语气。
- ☐ 11. 先完成，再修订。

4.2 口语测试

准备口语测试时，根据你所学的课程，如 IB、AP 等的评估要求进行准备；做一个评估指标细节表，确定你的报告符合所有的要求，并照顾到了各项要求的细节。老师也可能提供准备口语测试的步骤提示，这样精心设计的提示对你很有帮助，要学会好好利用。

4.2.1 学术报告

学术报告题目：______________________________

时间要求：8—10 分钟

提 示 卡：准备提示卡，在进行口语测试时，可以起到提示作用。提示卡内容仅应列举重点，不宜包括细节，如此可以避免口语测试时过分依赖提示卡进行答题，因为那样会给人以“念报告”的感觉。

评估指标：你们的老师会依照学校课程教学要求设计评估指标，切记要根据评估指标准备报告内容。

4.2.2 文本细读

我选的片段是：______________________________

细读时间要求：10—20 分钟

口头报告时间：10—15 分钟

评 估 指 标：你们的老师会依照学校课程教学要求设计评估指标，切记要根据评估指标准备报告内容。

图书在版编目（CIP）数据

边城·深度阅读. 学生用书 / 洪春满，吴静，宫小琳编著. -- 北京 ：北京语言大学出版社，2019.3（2023.12重印）
“阅读之道”系列教材
ISBN 978-7-5619-5431-7

Ⅰ. ①边… Ⅱ. ①洪… ②吴… ③宫… Ⅲ. ①阅读课－中学－教材②阅读课－高等学校－教材 Ⅳ. ①G634.331②H19

中国版本图书馆 CIP 数据核字 (2019) 第 022791 号

边城·深度阅读（学生用书）

BIANCHENG · SHENDU YUEDU（XUESHENG YONGSHU）

责任编辑：周 鹂
责任印制：邝 天
排版制作：李 越
封面设计：春天书装

出版发行：北京语言大学出版社
社　　址：北京市海淀区学院路 15 号，100083
网　　址：www.blcup.com
电子信箱：service@blcup.com
电　　话：编 辑 部　8610-82303670
　　　　　国内发行　8610-82303650/3591/3648
　　　　　海外发行　8610-82303365/3080/3668
　　　　　北语书店　8610-82303653
　　　　　网购咨询　8610-82303908
印　　刷：北京市金木堂数码科技有限公司

版　　次：2019 年 3 月第 1 版　　印　　次：2023 年12月第 4 次印刷
开　　本：889 毫米 × 1194 毫米　1/16　　印　　张：7
字　　数：147 千字
定　　价：98.00 元

PRINTED IN CHINA

Published by Phoenix Tree Publishing Inc.
& Beijing Language and Culture University Press

Border Town, In-depth Reading (Student's Book)

by Chunman Gissing, Jing Wu & Xiaolin Gong

ISBN: 978-1-62575-262-8

Library of Congress Control Number: 2019934588

First Edition

First Printing: March 2019

Second Printing: August 2019

Third Printing: June 2023

Fourth Printing: December 2023

Printed in China

Editor: Zhou Li

Phoenix Tree Publishing Inc.

5660 North Jersey Ave, Chicago, IL 60659

Phone: 773.250.0707 Fax: 773.250.0808

Email: marketing@phoenixtree.com

For information about special discounts for bulk purchases, please contact the publisher at the address above.

Find out more about Phoenix Tree Publishing Inc. at
www.phoenixtree.com